Vlieg!

met illustraties van Philip Hopman

Marco Kunst

Vlieg!

LEMNISCAAT

De auteur ontving voor dit boek een werkbeurs van het Nederlands Letterenfonds.

© Marco Kunst 2013
Omslag en illustraties © Philip Hopman 2013
Nederlandse rechten Lemniscaat b.v.,
Vijverlaan 48, 3062 HL Rotterdam, 2013
ISBN 978 90 477 0532 1

Druk en bindwerk: Wilco, Amersfoort

Dit boek is gedrukt op milieuvriendelijk, chloorvrij gebleekt en verouderingsbestendig papier en geproduceerd in de Benelux waardoor onnodig en milieuverontreinigend transport is vermeden.

INHOUD

WINTER

LENTE

ZOMER

1 DE MEEUW

De wind waait wild. Alles flakkert, klappert en flappert. Bruisend slaan de golven tegen het paalhoofd. Donderend rollen ze om op het strand. Schuimvlokken vliegen Marius en opa om de oren. De zon schittert aan de strakblauwe lucht, maar door de harde wind is het geen zwembroekenweer.

'Jij nog brood, Marius?'

Marius pakt een boterham van opa aan.

Opa is de enige die hem bij zijn echte naam noemt. Zijn vader en zijn broer Pieter zeggen altijd Muis, alleen maar omdat hij de kleinste is in huis. Zijn moeder zegt Mees of Meessie en zijn vriendjes noemen hem Maas. Zelfs de meester op school zegt vaak Maas. Marius vindt al die namen niet erg, maar opa houdt niet van bijnamen.

'Namen zijn vreemde dingen,' zei hij toen Marius hem ooit vroeg waarom niet. 'Ze dóén dingen... Daar moet je mee uitkijken.' Hij keek er ernstig bij en schudde toen bedroefd zijn hoofd, alsof hij zich iets naars herinnerde. Iets van vroeger of zo. Maar hij zei verder niets en Marius durfde er ook niet naar te vragen.

Opa en Marius zitten tegen het duin en voeren de meeuwen stukjes brood, die ze omhoog gooien. Krijsend wolken de meeuwen om hen heen. Ze duiken naar de kruimels. Grote zilvermeeuwen, felle kokmeeuwtjes en een verdwaalde kraai die denkt dat hij ook een meeuw is. De vogels scheren zo laag over dat Marius er haast bang van wordt. Hij kruipt nog dichter tegen opa aan.

Het is springvloed, het strand is smal. In de branding vertonen kitesurfers hun kunsten. De wind trekt ze met grote snelheid door het water. Ze zigzaggen door de golven en maken enorme sprongen. Ze zijn zo dichtbij dat hun vliegers gevaarlijk naar Marius en opa duiken. De wind suist langs de vliegers en touwen.

Verder weg scheren windsurfers over het donkere water. Ze trekken strakke strepen naar de horizon.

Het is of alles beweegt vandaag.

'Daar! Moet je die zien!' Marius stoot opa aan en wijst naar een van de surfers.

Opa knikt. 'Die kan er wat van!' Hij gooit een stukje brood. Een meeuw maakt een salto en pikt het uit de lucht. De andere vliegen krijsend achter hem aan.

'En die! Wauw! Met één hand!'

'Net acrobaten!'

'Veel beter,' zegt Marius. 'Acrobaten zitten binnen, in zo'n suffe circustent.'

Opa glimlacht. Het brood is op. Hij vouwt het zakje op en stopt het weg. De meeuwen blijven nog even hoopvol rondvliegen en vertrekken dan een voor een.

Een tijdje kijken ze alleen maar naar de kitesurfers. Marius wordt er springerig van.

Opa lacht. 'Nog een paar jaar, dan vlieg jij daar ook over de golven.'

Marius knikt. 'Zeker weten.'

'Het is een mooie tijd waarin jullie leven,' verzucht opa. 'Dit had je niet toen ik jong was.'

'Jullie hadden toch weer andere dingen?' Marius moet denken aan de verhalen van opa over wat hij allemaal meemaakte toen hij klein was – verduistering en avondklok, zoeken naar bomscherven in het puin, nachtelijke tochten in wrakke roeiboten, ontploffende bussen carbid en boze boeren met hooivorken.

'Dat is waar, maar dit lijkt me geweldig.'

'Misschien kun je het nog leren.'

Opa schudt zijn hoofd. 'Mijn ouwe botten breken te snel, ik heb er de kracht niet meer voor, en –'

Ineens schiet Marius overeind. 'Nee! Zag je dat!'

Hij rent het duin af, met een paar sprongen is hij bij het water. Een golf trekt zich terug. Marius rent mee met het water en bukt. Hij vist iets uit de branding en rent terug naar het droge, want de volgende golf komt er al weer aan.

'Au… Opa!' Marius houdt een grote meeuw in zijn armen. Het dier worstelt om los te komen. Marius laat hem vallen. De vogel wil wegvliegen, maar valt hulpeloos om.

'Wat een joekel!' Opa hurkt neer bij de meeuw. De linkervleugel van het dier hangt er slap bij, en hoe hard hij ook slaat met de andere vleugel, hij stijgt niet op. Lopen lukt ook niet. Steeds als de meeuw wil gaan staan, valt hij op zijn zij. Ondertussen blijft het dier krijsen en wild in het rond pikken.

'Ze botsten keihard op elkaar…' hijgt Marius. 'Die surfer sprong, en béng!'

Terwijl opa met een hand zijn ogen en gezicht beschermt tegen de uithalen van de scherpe snavel, pakt hij met zijn andere hand de vogel op. Dan vouwt hij de goede vleugel tegen het dier aan. De kop van de meeuw duwt hij zacht naar beneden, zo'n beetje onder de vleugel, en hij houdt zijn hand over de ogen van het beest. Hij doet het zo handig dat het lijkt alsof hij dagelijks meeuwen opvouwt.

Het dier is meteen rustig.

'Kijk, zo ziet hij niks meer, en dan houdt hij zich koest.' Opa vouwt nu ook de gewonde vleugel tegen het lijf van de meeuw.

Heel voorzichtig. Dan klemt hij de vogel stevig onder zijn arm. 'Help me even overeind, wil je?'

Marius geeft opa een hand en trekt hem omhoog. Hij kijkt naar het bruingrijze pakketje onder opa's arm. 'Het is een jonge vogel.'

'Ja. En toch al zo groot. Een jonge zilvermeeuw.'

'Maar wat nu? Moeten we ermee naar de dierendokter?'

'Tja.' Opa kijkt naar het dier. 'Ik weet het niet. Misschien… Ik ben bang dat –'

'Maar we kunnen hem toch niet zomaar achterlaten?'

Opa neemt Marius weifelend op. Dan knikt hij. 'Goed. We gaan ermee naar een dierenarts… Maar eerst naar mijn huis, voor een doos.'

Marius knikt en aait de vogel over zijn rug.

Opa en Marius beklimmen de hoge trap en dalen aan de andere kant van het duin weer af. Uit de wind is het warm en stil. Ze steken het duinweggetje over en dan zijn ze er al. Opa woont midden in de duinen, in het laatste huis aan de duinweg. Een geweldig huis met een lekker rommelige tuin eromheen. Het is de oude directeurswoning van de kliniek erachter. De kliniek heet Vreugdendal, maar iedereen heeft het altijd gewoon over het gekkenhuis. Of over Tranendal.

Marius' overgrootvader was daar ooit directeur. Toen hij met pensioen ging, mocht hij in de directeurswoning blijven wonen. Daarna ging opa er wonen, en nu heeft het huis niets meer met de kliniek te maken. De tuin is lang geleden door een schutting gescheiden van het terrein van Vreugdendal.

'Wil jij hem vasthouden?' vraagt opa.

Marius gaat op het tuinbankje zitten en neemt de vogel voorzichtig van opa over.

'Wat weegt hij weinig!'

'Veren!' lacht opa. 'Van de meeste vogels blijft niet veel over als je ze plukt. En dan hebben ze ook nog eens holle botten… Ik kijk even in de schuur voor een doos.'

Terwijl opa weg is, aait Marius zachtjes het verenkleed. Met één vinger. De vogel voelt breekbaar aan en hij houdt zich heel stil.

Opa komt terug met een doos. 'Als je hem goed stevig vasthebt, kun je zijn koppie wel tevoorschijn laten komen.'

Marius klemt de meeuw nog steviger in zijn schoot en laat dan het kopje los. Het bungelt slap naar beneden. Marius laat zijn grip verslappen. Niets. De meeuw beweegt niet.

'Hij is dood, hè?'

Opa staat er wat onhandig bij met die doos in zijn handen. Dan knikt hij. 'Ja.'

'We moeten hem begraven.'

'Als je dat graag wilt.'

'In de duinen.' Marius staat op.

Opa houdt hem de doos voor.

Marius schudt nee. 'Zonder doos. Zo in het zand. Dat is beter.'

'Oké… Ik pak de schep.'

Ze lopen de duinen in, op zoek naar een geschikte plek. Aan het einde van een smal paadje, boven op het hoogste duin, houdt Marius stil en wijst op een plek in het witte zand, beschut tussen duindoornstruiken. 'Hier.'

'Mooi,' zegt opa. 'Met uitzicht op zee… Wil jij graven?'

Marius legt de vogel voorzichtig neer en graaft een kuil.

'Doe nog maar wat dieper,' zegt opa als Marius wil stoppen. 'Anders graven de honden hem op.'

Marius knikt. 'Of een vos.' Hij graaft verder, tot hij op een dikke wortel stuit. 'Zo?'

Opa twijfelt. 'Nou ja, vooruit,' zegt hij dan.

Marius pakt de meeuw. Het dier voelt nog steeds warm en levend aan. Hij legt hem in de kuil en stapt achteruit.

'Oké. Zand erover?'

'Nee... wacht.' Marius gaat op zijn knieën bij de kuil zitten en leunt voorover. 'Het is toch wel gek... en zielig... Zo ben je een meeuw en vlieg je heerlijk boven de golven, en vijf minuten later ben je niets meer... alleen maar botjes en veertjes.' Hij aait de vogel een laatste keer en staat dan op.

Opa geeft Marius de schep aan. 'Tja...'

'Dat is toch raar?' zegt Marius en hij begint zand op de vogel te scheppen.

2 VREUGDENDAL

'Morgen gaan we met zijn allen naar het strand,' zegt Marius als ze teruglopen naar opa's huis. 'Als papa vannacht tenminste niet te laat thuiskomt en als het mooi weer is… Ga je dan ook mee, opa?'

Opa aarzelt. 'Eh… Steven heeft gebeld. Hij voelt zich niet goed en vroeg of ik bij hem langs wilde komen.'

'Jammer.'

'Ach… wat moet je nou met een ouwe opa op het strand? Jij vermaakt je heus wel.'

Ze zijn weer bij opa's huis. Bij het tuinhek blijven ze staan.

'Ga je nog mee naar binnen?'

Marius kijkt op zijn horloge. 'Ik moet naar huis. Eten.'

'Oké, jongen… Tot kijk dan maar weer. Doe je de groeten thuis?'

'Eh, opa… loop je even mee tot het parkeerterrein?' Marius houdt er niet van om alleen over het pad langs de kliniek te lopen.

'Met nog een ommetje door het bos?'

Marius kijkt nog een keer op zijn horloge en schudt dan nee. 'Dan wordt mama boos.'

Opa aarzelt. 'Vooruit maar,' zegt hij dan.

Het pad leidt langs de tuin van de kliniek. Het hek om Vreugdendal hapt een stuk uit de duinen. Een paar patiënten slenteren wat rond over het keurig gemaaide gazon. Anderen zitten op het terras, in witte plastic stoelen. Achter hen staat het lange, lage gebouw met de donkere ramen.

Marius vindt de patiënten eng. Sommigen zijn net robots. Of buitenaardse wezens. Ze bewegen vreemd en staren naar onzichtbare dingen. Alsof ze in een andere wereld leven. Marius probeert altijd om niet naar hen te kijken, maar hij kan het toch ook niet laten. Vanuit zijn ooghoeken ziet hij een vrouw in een rode jurk languit op het gras liggen. Een oude man zwalkt door de tuin. Hij loopt mank. Uit de opgestroopte mouwen van zijn witte overhemd steken twee enorme handen. Net de grijpers van een graafmachine. Slap slingeren ze langs zijn zij.

Marius heeft pas gedroomd dat hij in die tuin was, aan de andere kant van het hek. Hij stond daar helemaal alleen, in vreemde witte kleren op dat grote grasveld. Op blote voeten. Hij had het koud en kon nergens heen. De kinderen van zijn klas kwamen over het duinpad voorbijlopen, hand in hand, zingend en lachend. Toen ze hem zagen wezen ze naar hem en lachten hem uit. 'Maas is gek!' riepen ze. 'Knetter, knettergek, met een touwtje rond zijn nek… Trek, trek!' Toen schrok hij wakker en was zijn droom voorbij.

Marius kijkt naar opa. Die ziet eruit alsof hij het ook niet leuk vindt om hier te zijn. Zou opa ook wel eens zo'n droom hebben gehad? Of zou hij dat alleen hebben? Wanneer ben je eigenlijk gek? Net als Marius dat aan opa wil vragen, duikt vlak bij hen, achter het hek, de man met de grote handen op. Opa pakt Marius' hand en hij versnelt zijn pas. 'Kom,' zegt hij. 'Laten we voortmaken. Anders kom je te laat thuis.'

'Ik ken jou wel!' roept de man. Hij loopt trekkend met zijn been met hen mee en kijkt boos. Opa trekt Marius met zich mee.

'Schijnheilige patjepeeër!' roept de man.

'Wie is dat?' fluistert Marius bang.

'Niemand,' bromt opa kortaf. 'Ik ken die man helemaal niet. Maar hij staat daar altijd te roepen. Daarom kom ik hier liever niet.'

Bang kijkt Marius opzij. Híj heeft de man nooit eerder opge-
merkt. De oude man kijkt hem recht in de ogen, met een nare blik
die alles lijkt vast te leggen. Als een bewakingscamera. De man achter het hek knikt langzaam en grijnst dan tevreden.

'Kom maar,' zegt opa. 'Die mensen daar zijn ziek. Niets om
bang voor te zijn. Waarschijnlijk roept die man dat naar iedereen.'

Ze beklimmen het volgende duin en een paar minuten later zijn
ze bij het fietsenrek. Daar nemen ze afscheid. Opa neemt het andere bospad terug.

3 NAAR HET STRAND

De volgende dag is papa op tijd wakker, dus gaan ze met zijn allen naar het strand: papa, mama, Pieter en Marius. Ze fietsen naar het parkeerterrein en zetten hun fietsen op slot.

Marius slingert zijn strandtas over zijn schouder en rent het pad op.

'Hé, wacht op ons!' roept zijn moeder, maar hij is al weg.

Eerst door het duinbos. Kronkelboompjes en varens, de geur van vochtige aarde. Stil en geheimzinnig. Al snel wordt het pad zandiger, en de zon breekt door de bladeren. Marius rent verder, breekt uit het bos tevoorschijn, weg uit de schaduwen. Heerlijk de warme zon in.

Het pad leidt het eerste duin over. Dauw glinstert op de spinnenwebben. Hier ruikt het naar zomer, bramen, zand en… Marius weet niet waar het allemaal naar ruikt. Hij weet wel dat hij er duizelig van wordt. Duizelig van geluk. Met grote stappen vliegt hij over het pad.

Het is de laatste dag van de zomervakantie. Morgen gaat hij voor het eerst naar groep acht. Best spannend, maar dat doet er nu niet toe. Het wordt een geweldige dag! Misschien gaat opa zelfs ook wel mee. Marius kan niet wachten om het hem te vragen.

Hij gaat langzamer lopen, blijft op het hoogste punt staan. Voor hem ligt Vreugdendal. Achter zich in de verte ziet hij de anderen lopen. Zal hij op ze wachten? Er lijkt nu niemand in de tuin van de kliniek te zijn. Langzaam daalt hij af en loopt verder, tot even voor het hek.

'Hé, Muis!' klinkt het vanaf de top van het duin.

Dat is papa. Marius kijkt om en zwaait. Zeulend met hun tassen sjokken zijn vader, moeder en Pieter het duin af.

'Wácht nou even op ons!'

Marius zwaait nog een keer en blijft dan staan wachten.

'Laat ze maar lullen, hoor!' klinkt een rauwe stem achter hem. Marius schrikt. Hij draait zich om. Achter het hek, vlakbij, staat ineens weer de man met de grijphanden. Hij kijkt Marius aan met die borende blik, in roodomrande ogen. Zijn dikke vingers klauwen door de mazen van het hek. 'Niks van aantrekken als ze naar je roepen,' gromt hij. 'Je doet er niks aan... helemaal niks! Je ken ze niet pakken... en ze blijven maar roepen...'

Marius zegt niets.

De man grijnst. Zijn tanden zijn geel en staan schots en scheef in zijn mond. 'Ja...' zegt hij dan peinzend. 'Nu ken ik jou ook, jongen...'

Marius rilt. Hij wendt zich af.

Dan zijn de anderen bij hem. Marius' vader kijkt naar de man, maar die zegt niets meer. Het gezicht van de man betrekt. Hij draait zich om en loopt weg.

'Pff... Stond Muis weer met de gekken te praten?' vraagt Pieter op de stoere toon die hij de laatste tijd vaker in zijn stem heeft.

Hij heeft meteen een boze blik van mama te pakken. 'Zo praat je niet over die mensen. Die kunnen er ook niets aan doen.'

Pieter haalt zijn schouders op. 'Ze zitten toch niet voor niets opgesloten?'

'Ze zitten niet opgesloten. Het is een soort ziekenhuis.'

'Waarom staat er dan een hek omheen?'

Papa kijkt naar Marius. Hij fronst. 'Kon je nou écht niet even op ons wachten?'

Marius kijkt naar de grond.

'Wat is dat toch altijd met jou?' gaat papa geïrriteerd verder. 'Altijd alles anders dan de rest... Ik snap het niet.'

'Kom op, jongens.' Mama sjort haar tas hoger op haar schouder en loopt verder. 'Geen gekissebis. We gaan er een fijne dag van maken.'

Opa's auto staat niet op de duinweg. Tegen beter weten in loopt Marius de voortuin in. Hij wil opa vragen of hij echt niets van de man met de grijphanden weet.

'Kom nou maar,' zegt zijn moeder. 'Je ziet toch dat hij er niet is?'

Marius klopt op de deur.

De anderen lopen verder zonder op hem te wachten. Ze steken de duinweg over en gaan de trap op.

Het blijft stil binnen. Opa is er niet en hij heeft Vos meegenomen. Anders zou die nu wel blaffen of piepen achter de voordeur.
Vaak laat opa Vos alleen thuis. Die vindt dat best, want hij is al
oud voor een hond. Maar vandaag zijn ze er samen op uit.

Marius wil weglopen, maar dan ziet hij iets. 'Wacht!' roept hij
naar papa, mama en Pieter, en hij pakt de plastic tas die op het
bankje naast de voordeur ligt. Met plakband zit er een briefje op.
Marius vouwt het open:

Lieve kinderen,

Ik kan niet mee naar het strand. Ik ben naar Steven. Jullie
weten dat het niet zo goed met hem gaat.
In de tas zit Bastiaans oude vlieger. Ik vond hem bij het
opruimen van de zolder.
Het wordt een warme dag. Geniet ervan. Misschien zie ik jullie
vanavond.

Groetjes van opa Guus

Marius kijkt in de tas. Er zitten dunne bamboestokjes in, een lap
verschoten vliegerdoek en een grote klos met touw. Zoldergeur
kringelt hem tegemoet.

De anderen zijn al bijna boven. Marius rent de tuin uit, steekt
de duinweg over en gaat hen snel achterna over de steile trap. Als
hij bovenkomt, zitten ze al op de bank hun schoenen uit te doen.

'Pap! Je vlieger!' zegt Marius hijgend. 'Je oude vlieger! Had opa
voor ons klaargelegd.'

Pieter springt op. Zijn veters hangen los. 'Laat zien!' roept hij
en hij trekt de tas uit Marius' handen.

'Hé! Blijf af!' roept Marius. 'Ik heb hem gevonden!'

Pieter schudt de tas leeg. Het vliegerdoek en de wit uitgeslagen bamboestokken zien er armzalig uit in de felle zon. Het draad op de klos vertoont zwarte vlekken.

'Pff... Ouwe troep!' Pieter gooit de tas erbovenop, ploft neer en gaat verder met het uittrekken van zijn schoenen.

Marius begint alles netjes terug in het tasje te stoppen. Dan valt er een schaduw over hem heen.

'Pieter heeft gelijk,' zegt papa. Met een blote teen duwt hij tegen de stokken en het doek. Hij haalt zijn schouders op. 'Niks van over... Gooi hem daar maar in.' Hij wijst naar een vuilnisbak.

Als ze even later de trap naar het strand af lopen, houdt Marius de tas met de vlieger stevig onder zijn arm geklemd.

Beneden aangekomen lopen ze meteen door naar het natte zand, dat loopt makkelijker. Want ze moeten nog een eind. Vlak bij de trap en de strandtent wordt het straks veel te druk. Bovendien ruikt het er naar patat en galmt de muziek tot aan het water. 'En daarvoor komen we niet naar het strand,' zegt Marius' moeder altijd. Het kan haar niets schelen dat Pieter daar anders over denkt.

4 EEN ONBEKENDE DIERSOORT

Papa wil vandaag ook niet ver lopen. Hij is moe. Vannacht om drie uur kwam hij pas thuis. Hij vliegt als piloot naar alle landen van de wereld. Marius' vriendjes vinden dat stoer. Marius ook wel, maar het is jammer dat zijn vader zo vaak van huis is.

Ze installeren zich aan de voet van het duin. Papa zet het windscherm op. Mama spreidt de handdoeken uit en smeert zich in met zonnebrandcrème.

Pieter tuurt naar de zee. 'Ik denk dat het om een uur of drie hoogwater is.' Hij kijkt naar Marius. 'Ik ga een fort bouwen dat het houdt. Veel groter dan anders. Dus ik moet nu al beginnen. Je mag meehelpen, maar dan moet je precies doen wat ik zeg.'

Marius haalt zijn schouders op. 'Misschien straks.' Hij vertrouwt het niet. Pieter wil de laatste tijd steeds de baas spelen. De ene keer is hij aardig en spelen ze net als vroeger, maar even later kan hij ineens kwaad worden. En vals. Dat is de leeftijd, zegt mama: Pieter is aan het puberen. Marius vindt het maar een slap excuus.

'Het moet écht heel groot worden,' zegt Pieter. 'Een megafort.' Marius knikt. 'Oké,' zegt hij.

Pieter rent ineens weg naar de waterlijn. 'Ben zo terug!' roept hij.

'Je zwembroek!' roept mama hem achterna. 'Pieter!'

Pieter rent door zonder op of om te kijken.

Marius trekt zijn kleren uit. Zijn zwembroek heeft hij al aan. Hij pakt de tas met de vlieger.

'Zal ik je insmeren?' Mama hurkt bij hem neer.

'Doe ik zo zelf wel,' mompelt Marius. Hij haalt de vlieger uit de tas.

'Laat me in ieder geval je rug doen.' Mama begint hem in te smeren. Marius vouwt het vliegerdoek open en kijkt hoe je de stokken erin moet steken.

Papa komt van achter het windscherm omhoog. 'Weet je dat ik dat ding samen met opa gemaakt heb? Zeker vijfentwintig jaar geleden, maar ik weet het nog precies… Opa was altijd heel goed in die dingen.'

Marius steekt een stok in een van de hoekjes en probeert hem aan de andere kant onder de zoom te werken. Het bamboe prikt dwars door de stof heen.

'Zie je nou dat het niks meer is?' Mama veegt de laatste crème af aan Marius' wangen.

'Ik zei toch dat je hem weg moest gooien?' zegt papa. 'We maken wel een keer een nieuwe. Jij en ik. Goed plan?'

Marius knikt. 'Misschien kunnen we de stokken dan nog wel gebruiken?'

'Die ouwe bamboetroep? Dat gebruikt niemand meer. Allemaal glasfiber tegenwoordig. Of koolstof. Superlicht en supersterk.'

Marius stopt de vlieger terug in het tasje. 'Dan zal ik hem toch maar weggooien.'

'Goed zo.'

'En even lopen.'

'Ga je niet te ver?'

'Neehee.'

'Je komt zo toch wel voetballen?' Papa kijkt onder zijn zonnebril door naar Marius. 'Partijtje. Pieter en jij tegen mij.'

Marius knikt. Hij is niet zo'n voetballer, maar het is fijn dat papa er is en samen iets wil doen.

Uit het zicht van zijn vader en moeder, aan de voet van de duinen, graaft Marius een kuil. Hij haalt de onderdelen van de oude vlieger voorzichtig uit het plastic tasje en spreidt ze een voor een uit op de bodem van de kuil. Dan gooit hij de kuil dicht. De tas neemt hij mee.

Hij loopt naar de waterlijn. Kijken of er iets te vinden is. Een vreemde schelp of een krabbenschild, of iets heel aparts. Iets... iets. Altijd hoopt hij stiekem dat er iets écht heel bijzonders zal gebeuren. Dat hij de verloren schat van een zeerover zal vinden, een sprekende vis of flessenpost van een volk dat op de bodem van de zee woont. Of dat hij een onbekende diersoort ontdekt. Of een fossiel dat zo bijzonder is dat alles er anders door zal worden. Marius weet wel dat dat allemaal bijna niet kan, maar soms gebeuren er toch écht heel bijzondere dingen? Dat moet wel.

Het water likt aan zijn blote voeten. Marius vindt een stuk zee-egel met de stekels er nog aan, het schild van een katvis, een rog-

genei, een stuk zwart zacht hout dat eruitziet als een oog, een plastic flesje met woorden in een gek alfabet erop, een aansteker en een grote grijze wulk. Hij stopt alles in de tas. Als hij in de verte de volgende strandtent ziet, loopt hij verder het water in.

Het stuk zee-egel stinkt en er hangen vieze lebberdraadjes aan. Marius gooit het de zee in, zo ver als hij kan. En dat doet hij ook met alle andere dingen die hij gevonden heeft. Van de lege tas maakt hij een prop. Als hij denkt dat niemand kijkt, duwt hij de prop onder water en laat hem los. Nu is hij een vervuiler.

Marius duikt onder en trekt zich met zijn handen door het zand naar voren. Als hij het niet langer uithoudt, hapt hij snel boven water naar adem en duikt opnieuw onder. Ik ben een onbekende diersoort, denkt hij. Hij gromt en blaft onder water.

Verder bij het strand vandaan wordt de zee ondieper. Marius komt uit op een zandbank die maar net onder water staat. De zee spoelt er dun als plasticfolie overheen. Hier blijf ik zitten, denkt hij. Voorgoed. Tot ik groot ben en de wereld helemaal anders is. Hij woelt met zijn handen en voeten tot ze diep in het zand zitten.

Het water trekt zich nog verder terug, de zandplaat valt droog. Marius werkt zich los uit het zand en waadt naar het strand. Met een boog loopt hij om de plek heen waar Pieter zijn fort bouwt, midden op het strand. Pieter graaft als een bezetene.

Als Marius bijna bij hun plek is, gebaart mama naar hem dat hij stil moet zijn. Papa slaapt. Ze geeft Marius een pakje drinken. Terwijl hij drinkt, bestudeert hij papa's gezicht. Papa's mond hangt open. Sommige stoppels op zijn wang zijn grijs en in zijn neusgaten groeien haren. Hoe langer Marius kijkt, hoe vreemder het gezicht van papa wordt. Net als met woorden, bedenkt hij. Als je die honderd keer achter elkaar zegt, betekenen ze ook niets meer.

Pas een hele tijd later wordt papa wakker. Hij geeuwt en rekt zich uit.

'Gaan we nu voetballen?' vraagt Pieter.

'Laat je vader even met rust,' zegt mama. 'Zullen we eerst een boterham eten?'

'Koffie,' zegt papa. 'Je had toch koffie meegenomen?'

Mama schenkt voor hem in.

'Straks dan?' vraag Pieter.

'Laat hem nou.'

'Waar was je naartoe, pap?' vraagt Marius.

'Kaapstad,' antwoordt mama voor hem. 'Dat weet je toch? Dat heeft hij gezegd voordat hij wegging.'

Marius kan het zich niet herinneren. Papa gaat naar zoveel plaatsen. Kaapstad klinkt spannend. Kaap de Goede Hoop. Kapers en piraten. 'Was je daar al eerder geweest?'

'Ja...' antwoordt papa nu zelf. 'We vliegen veel op Zuid-Afrika.'

'Is het daar mooi?'

Papa wuift vaag met zijn hand en nipt van zijn koffie.

'Is Zuid-Afrika mooi?' houdt Marius aan.

'Ach, dat weet je toch. Ik kom alleen op de vliegvelden. Johannesburg, Kaapstad...' Hij kijkt er verveeld bij. 'Het is vooral een roteind vliegen. En alle vliegvelden zijn hetzelfde, overal ter wereld. Beton, glas, staal en McDonald's...' Hij wrijft over zijn voorhoofd en glimlacht scheef.

'Heb je hoofdpijn?' vraagt mama. 'Je moet ook niet gaan liggen slapen in de zon.'

'Ik héb geen hoofdpijn.'

5 HET FORT

Van het voetballen komt niets terecht, want na de boterham wil papa eerst de krant lezen.

'Later, jongens. Straks! Beloofd is beloofd!' zegt hij.

Marius en Pieter begrijpen dat hij geen zin heeft en dat het er niet meer van zal komen, want straks is het hoogwater en op het zachte zand kun je niet goed voetballen.

'Kom,' zegt Pieter tegen Marius en hij pakt zijn schep. Ze lopen samen naar het fort. De zee is al een stuk dichterbij.

'Goed, man,' zegt Marius als ze voor de enorme zandberg staan die Pieter gemaakt heeft.

Pieter schudt zijn hoofd. 'Hij is nog lang niet hoog genoeg.'

'Moet er geen gracht omheen?'

Pieter schudt zijn hoofd. 'Zinloos. Eén golf en je gracht is vol. En dan storten de wanden in.'

'Maar het lijkt dan wel meer op een echt kasteel.'

'Daar gaat het niet om... Kom op. Aan het werk.'

Ze beginnen te graven. Pieter met de schep en Marius met zijn handen.

Een tijd later is het zover. De zee is er bijna.

Het fort is veel groter dan ze ooit gebouwd hebben. Ze moeten het nu verdedigen tegen de golven.

Pieter staat voorovergebogen, al zijn spieren gespannen. Hij graaft stug door. Marius zit op zijn knieën. Met zijn handen graaft

hij in het scherpe schelpenzand. Handenvol gooit hij op de berg.
De eerste golf spoelt over Marius' voeten.

Pieter kijkt op. 'Daar moet het hoger,' zegt hij, 'want er staat
een zuidwestenwind en de stroming loopt zo.' Hij wijst het aan
met zijn schep en graaft verder.

De eerste golf rolt tegen het fort.

'Liggen, Muis! Ga ervoor liggen. Dan maak ik hem hoger. Hou
de golven tegen. Snel!'

Marius gaat voor het fort liggen, met zijn rug naar de golven.
Op zijn zij, als een dijkje. Hij kijkt hoe zijn broer vecht tegen de
zee. Hij baalt, hij ligt daar maar te liggen als een aangespoelde walvis. Het water spoelt om hem heen en likt aan de burcht.

Dan duwt een grote golf Marius weg. Hij rolt om, tegen het
fort aan. Er stort een heel stuk in.

'Stommeling! Het is jouw schuld als het fout gaat.' Kwaad schept Pieter een klodder zand op Marius. 'Schiet op, man! Hier! Aan de achterkant… En die grote stenen moeten aan de voorkant!'

Marius staat op en loopt de zee in. Hij zit helemaal onder het zand. 'Even afspoelen,' mompelt hij. 'Ben zo terug.'

Maar hij komt niet meer terug. Hij blijft in het water en laat zich meevoeren door de stroom en de golven, meebewegend op de deining als een sliert zeewier. Hij wil niets meer met het fort te maken hebben. De zee wint toch.

6 IN DE DUINEN

Meedeinend met de golven kijkt Marius hoe de zee het fort verwoest. Het duurt niet lang. Tot het laatst toe blijft Pieter zand op de bult scheppen, zelfs als het water er al helemaal overheen spoelt.

'Lafaard!' roept Pieter als Marius langs hem loopt op weg naar het droge. 'Als we écht samen hadden gewerkt, was het misschien gelukt.'

Marius loopt door zonder iets te zeggen. Voor even heeft hij genoeg van de zee. Hij loopt naar de voet van de duinen, langs het windscherm waarachter papa en mama liggen, en verder, door het zachte zand dat wegzakt onder zijn voeten, door het stekelige helmgras. Omhoog. Steil omhoog. Hier brandt de zon nog veel heter en is het helemaal anders dan bij het water. Stil en droog. Warm en stoffig. De omgekeerde wereld van de zee.

Boven staat hij stil. Het strand krioelt nu van de mensen. Met vliegeren was het toch niets geworden met die drukte, en bovendien is er geen wind, hoogstens af en toe een veegje zeewind.

Hij loopt landinwaarts, de duinen zijn hier breed. Rechts moet opa's huis staan. Marius kijkt of hij het rode dak kan zien. Hij ziet niets. De lucht trilt van de hitte. Hij zou naar opa's huis kunnen lopen. Ver is het niet. De sleutel ligt onder de platte steen in de tuin, weet hij. Dan zou hij een inbreker zijn. Een inbreker in een zwembroek. Hij zou best eens rond willen neuzen in opa's huis. Alle kasten openmaken, achter de boeken kijken en op zolder. Misschien heeft opa wel een geheim. Hij is al zo oud. Maar wat als hij ineens thuis zou komen?

Marius schudt de gedachten van zich af en daalt met grote passen af in de duinpan voor hem. Het is er windstil en superheet. Geen enkel geluid van het strand dringt hier door. Stekelstruiken overal. Duindoorns en kattenbramen. Een geheimzinnige plek.

'Hé!' klinkt het ineens vlak bij hem. 'Donder op, idioot!'

Marius schrikt zich een ongeluk. Achter een struik zit een man op zijn hurken te poepen. Een dikke man met een zonnebril op. Zijn hoofd is vuurrood. Hij kijkt vreselijk boos naar Marius. Die rent hard weg, een konijnenpaadje op dat slingerend het volgende duin op leidt.

Daar zijn alweer mensen. Een jongen en een meisje van zestien of zo. Ze liggen op het witte zand. De jongen boven op het meisje. Ze zoenen en ze zien hem niet. Even blijft Marius staan kijken. Dan draait hij zich om en loopt door, het volgende paadje op. Het paadje dat uitkomt bij het graf van de meeuw.

Al voor hij boven is ziet hij kleine veertjes op het pad en in de struiken. Bruine en grijze donsveertjes. Het graf is open. Marius kijkt naar de graafsporen. Het moet een vos zijn geweest, beslist hij: kleine sporen van een niet zo groot dier dat lang aan het graven is geweest. Een hond zou vast niet zo lang hebben mogen graven van zijn baasje.

Als een vos het heeft gedaan, is het niet erg. Dat is de natuur.

Marius baant zich een weg door de struiken en komt uit bij een afgrond van zand. Tot zijn verbazing liggen precies aan de voet daarvan papa en mama te zonnen. Marius neemt een reuzenstap de diepte in, zijn armen als vleugels gespreid. Hij valt recht omlaag, raakt het zand en glijdt en rolt verder naar beneden. Een lawine van stuifzand achter hem aan. Net voor papa en mama komt hij tot stilstand. De zandlawine golft over zijn ouders en hun hand-doeken heen.

'Gadverdamme!' Ze schieten allebei overeind. Het zand kleeft aan hun met zonnebrandcrème ingesmeerde lijf.

'Nou heb je een heel strand, en dan moet je precies hier spelen!' Mama veegt het zand van zich af.

Papa pakt Marius bij zijn bovenarm. 'Wat is dat toch altijd met jou?'

Marius durft niet naar hem te kijken.

'Nou? Kijk me eens aan!'

'Rustig aan, Bas,' zegt mama, 'hij deed het per ongeluk.' Papa let niet op haar.

Marius moet bijna huilen, maar hij doet het niet. Hij trekt zich los en springt op, waardoor er nog meer zand in het rond stuift.

'Wegwezen!' roept papa driftig en hij mept in de lucht.

Marius rent weg.

7 ONWEER

Pieter is niet meer boos op Marius. Samen bouwen ze aan een waterstad van kanalen, heuveltjes en kastelen. Vlak bij zee. Papa komt kijken. 'Mooi, hoor…' zegt hij. 'Maar als je nou hier een doorgang maakt, dan stroomt de boel veel beter door.'

Pieter vraagt hoe dan en papa begint ook te graven. Ze maken er met zijn drieën nog meer kanalen en rivieren bij. Marius versiert de bouwwerken met schelpen, veertjes en plastic doppen.

Zo is het fijn, denkt Marius. Zo moet het blijven. Hij kijkt wat Pieter en papa maken en begint dan een rivier te graven die erbij aansluit. Papa kijkt op en knikt goedkeurend naar hem.

Mama komt ook. Ze maakt een paar foto's en wijst dan naar zee.

'Het weer slaat om, jongens.'

Boven zee hangt een vreemde donkergroene lucht.

'Nog één duik!' Pieter rent de zee in.

'Nee, kom nou!' roept mama. 'Jullie zijn net lekker droog.'

Marius rent achter Pieter aan. 'De Glanzende Zeehond!' roept hij. 'Hier komt de Glanzende Zeehond!' Samen duiken ze in de golven. Niet één keer, maar wel tien keer. Glanzende Zeehond en Wilde Walvis, zo noemden ze elkaar een paar jaar geleden altijd. Op vakantie in Frankrijk.

Papa rent achter hen aan de zee in: 'Hier komt de Duikende Dolfijn!' roept hij en hij springt tussen Marius en Pieter in. Samen duwen ze hem omver.

'Geen dolfijn!' roept Pieter. 'De Harige Haai! Pap, jij bent de Harige Haai!'

Papa krabbelt overeind en wil hen pakken. Marius duikt weg.

'Hélp! De Ploffende Platvis!'

'De Piesende Paling!'

'De Kwijlende Kwal! Whooaaa! Ik ben de Kwijlende Kwal!'

Ze duwen elkaar steeds opnieuw omver, tot ze snakkend naar adem omkijken naar mama, die lacht en foto's maakt. Dan wijst ze opnieuw in de verte.

Op dat moment trekt er een rimpeling over het water. Een eerste windvlaag steekt op. De lucht boven zee is zwart geworden, en ineens is iedereen aan het inpakken en aankleden. Parasols rollen over het strand, kranten waaien weg, opblaasballen en luchtbedden erachteraan. Lachende en gillende kinderen daar weer achteraan. Rennend, springend, met hun armen gespreid. Kleine kinderen huilen.

Pieter, Marius, mama en papa rennen naar de spullen, schieten in hun kleren en rapen alles bij elkaar.

'Kom op, snel! Op zee regent het al. Kijk!'

Tussen de zwarte wolken breekt de zon nog een keer door. Alles blinkt en schittert een laatste moment. Meeuwen vliegen krijsend landinwaarts.

Al voor ze bij de trap zijn, vallen de eerste druppels. Bij de trap is het een drukte van jewelste. In de strandtent is het mudjevol, daar kan niemand meer bij.

'Het zet gelukkig nog niet door,' zegt papa, 'en wij kunnen lekker schuilen in opa's huis.'

Ineens maken ze deel uit van een grote dampende kudde bij de trap. De kinderen zijn giechelig, de grote mensen lachen naar elkaar en iedereen wordt geraakt door de dikke regendruppels. Koud

is het nog niet. Marius' hand kruipt in die van zijn moeder. Hij leunt tegen haar aan. Met haar vrije hand strijkt ze door zijn haar. Papa geeft hem een knipoog.

Voetje voor voetje schuifelen ze naar voren. Als ze op de trap zijn, barst de bui echt los. Als ze boven zijn, zijn ze doorweekt.

'Rénnen,' roept papa. 'Als er onweer bij komt, is het hier niet veilig.'

8 SCHUILEN BIJ OPA

Het voelt een beetje gek om in opa's huis te zijn zonder dat hij er is. De regen klettert tegen de ramen. Ze hebben hun natte goed uitgespreid over de bank, de tafel en alle stoelen. In de keuken is mama thee aan het zetten.

Pieter heeft de tv aangezet en kijkt naar sport. Gewichtheffen. Dikke mannen met rode hoofden in glanzende pakjes. Papa staat voor het raam en maakt een kijkgaatje vrij op de beslagen ruit. Marius komt naast hem staan en doet hetzelfde. Buiten rennen nog een paar mensen voorbij. Twee mannen in zwembroek, een vrouw die een plastic tas om haar hoofd heeft gebonden, een paar doorweekte kinderen.

'Moeten we ze niet binnenlaten?' vraagt Marius.

Papa schudt zijn hoofd. 'Daar kunnen we niet aan beginnen. Stel je voor! Voor je het weet zit het hele huis vol. Denk je dat opa dat leuk zou vinden?'

Marius schudt zijn hoofd en draait zich om. 'Even naar de wc,' zegt hij, maar hij sluipt de trap op.

Boven is het stil. De hitte van de dag hangt er nog. Opa is zo slim geweest om alle ramen te sluiten voor hij wegging. Hij wist vast dat het zou gaan onweren.

De deur van opa's slaapkamer staat open. Zijn hoofdkussen ligt opgepropt tegen de muur en het laken ligt verkreukeld aan het voeteneind op de grond. Het ruikt er naar opa. Een vertrouwde geur, maar nu opa er niet is ook een beetje viezig.

Marius loopt naar het einde van de gang, waar de zoldertrap zit. Meestal zit die naar boven gevouwen en is het luik dicht, maar nu is de trap naar beneden uitgevouwen. Door het trapgat hoort hij de regen op het dak kletteren.

Voorzichtig gaat Marius de trap op en kijkt door het luik. Tot zijn stomme verbazing is de zolder bijna leeg. Opa moet heel veel hebben weggegooid. Van het voorjaar stond het hier nog helemaal vol met allerlei rommel en spannende dozen vol geheimzinnige dingen. Nu staat er alleen nog een keurig rijtje verhuisdozen. Op een paar zijn namen geschreven: 'Bastiaan', 'Wouter' en 'Yvonne' leest hij met moeite in het halfdonker. Oom Wouter en tante Yvonne zijn de broer en zus van papa.

Marius stapt een tree hoger. Hij ziet nog meer dozen staan.

'Mees!' klinkt het dan van beneden. 'Waar zit je?'

Geschrokken loopt hij snel de zoldertrap af.

'Mees?'

Hij doet de deur van de badkamer open en dicht. 'Hier!' roept hij. 'Boven. Ik was hier naar de wc.'

'Kom je? We drinken snel onze thee en dan gaan we. Boven zee breekt het al weer open.'

Even later lopen ze over het pad langs de kliniek. De tuin is verlaten. De plastic stoelen liggen schots en scheef op het gras, omver geblazen door de wind.

'Herinner jij je Vogelpoep nog?' vraagt Pieter ineens.

Marius knikt. Vogelpoep was een jongen die een paar maanden bij Pieter in de klas zat. Vorig jaar, toen Pieter in de brugklas zat. Willem was zijn echte naam, maar alleen de leraren noemden hem zo. Marius heeft hem twee keer gezien. Een dikke jongen met grote handen.

Waarom hij Vogelpoep heette, wist niemand. Hij zei niet veel en gaf ook nooit antwoord als de leraren hem iets vroegen. Vaak kwam hij zelfs helemaal niet opdagen. Op een dag, tijdens de tekenles, kleurde hij zijn handen zwart. Vervolgens trok hij met dezelfde dikke merkstift allemaal strepen over zijn gezicht. Toen stond hij op en liep de klas uit. Dat was de laatste keer dat hij op school was. Niemand wist precies wat er gebeurd was, maar sommige kinderen zeiden dat hij met de directeur van de school gevochten had.

'Hij is terug!' gaat Pieter verder. 'Ik heb hem gezien, en Evert ook. Hij woont ineens bij Evert in de straat, samen met zijn moeder. Een heel dik wijf in een rolstoel. Ze wonen tegenover het opzichtershuis. Volgens Evert is hij nu anders. Hij zou hier hebben

gezeten.' Pieter knikt met zijn hoofd naar de kliniek. 'Intern…
Dat betekent dat je er niet zomaar uit mag. Hij is heel rustig nu.
Maar zijn ogen staan nog steeds raar.'

'Komt hij dan ook weer bij jou op school?'

'Nee… Evert zegt dat hij iedere dag met een busje wordt opge-
haald en aan het eind van de middag weer teruggebracht.' Pieter
schudt zijn hoofd. 'Hij zit vast onder de pillen…' Dan geeft hij
Marius een por in zijn zij en springt weg, een valse grijns op zijn
gezicht. 'Bijna net zo getikt als jij!' roept hij.

Marius haalt uit naar Pieter, maar mist. 'Rotzak!'

Papa en mama kijken om.

'Verdomme!' roept papa. 'Geen geruzie nou!'

'Hij begon!' roept Marius snel.

Pieter schudt meewarig zijn hoofd. 'Leugenaar.'

'Koppen dicht!' sist papa.

In stilte sjokken ze verder. In het duinbos is het schemerig, de
bomen druipen nog na van de regen. Het ruikt er ineens naar pad-
denstoelen.

'Nou, jongens,' zegt mama als ze bij de fietsen zijn, en ze tovert
een glimlach op haar gezicht. 'Dat was een heerlijk dagje, hè?'

'Heerlijk!' beaamt papa en hij buigt zich over zijn fietstas.

Pieter kijkt weg.

Marius knikt, maar hij zegt niets.

9 METEOREN

Die nacht droomt Marius dat hij door een lange gang loopt. Aan het einde van de gang staat de man met de grote handen. De man knikt bedachtzaam naar Marius, alsof hij iets slechts over hem weet. Marius wil zich omdraaien en wegrennen, maar dat lukt niet. Zijn benen lopen door alsof ze niet van hem zijn. Links en rechts zijn deuren. Ze zijn allemaal op slot. Dat hoeft hij niet uit te proberen, dat weet hij gewoon. Als hij bijna bij de man is, fluistert die: 'Nu ben je ook intern... Dat betekent dat je er niet zomaar uit mag.'

Met bonzend hart schrikt Marius wakker. Angstig zoekt hij met zijn hand naar het lichtknopje. Als hij het gevonden heeft, knipt hij het lampje bij zijn bed aan. Hij is nat van het zweet en het laken zit strak om hem heen gewikkeld. Hij woelt zich los. Ook al staat het raam open, toch is het benauwd in zijn kamer. Het onweer heeft niks geholpen.

De klok wijst kwart over drie aan. Het liefst zou hij nu naar de kamer van papa en mama gaan en bij hen in bed kruipen, net als vroeger. Maar papa moet morgenochtend heel vroeg de deur uit voor zijn werk. Marius weet zeker dat zijn vader boos wordt als hij hen nu wakker maakt.

Hij stapt uit bed, loopt naar het raam en schuift het gordijn langzaam opzij, zo dat het bijna geen geluid maakt. Hij haalt het raam van de haak, zwaait het open en leunt naar buiten. Dan bedenkt hij zich, loopt terug naar zijn bed en knipt het licht uit. Anders komen de muggen.

Opnieuw leunt hij naar buiten. Langzaam wordt het bonken van zijn hart minder. In alle huizen is het donker. Iedereen slaapt, behalve hij. Het is een windstille, maanloze nacht. Marius kijkt omhoog naar de sterren. De nacht is helder, maar in de brandgang achter het huis brandt een witte lamp die hem verblindt. Veel sterren ziet hij daarom niet.

Dan herinnert hij zich ineens iets. Hij loopt naar de kast en pakt zijn verrekijker. Daarna opent hij stilletjes zijn kamerdeur. Hij sluipt naar beneden en loopt door naar de keuken. Daar draait hij de achterdeur van het slot en loopt de tuin in.

Marius gaat op het oude houten bankje zitten. Hij heeft alleen een onderbroek aan, maar het hout voelt nog warm en hij heeft het niet koud.

Hier komt het licht uit de brandgang niet en dus is het goed donker. Eerst zoekt hij de Grote Beer aan de hemel, dat is het makkelijkste sterrenbeeld: de steelpan. Als hij die gevonden heeft, trekt hij de lijn tussen de twee buitenste sterren van de pan verder door. Zo komt hij uit bij Polaris: de poolster. Als hij zo'n beetje die kant uit blijft kijken, kan hij ze vast niet missen: de Perseïden!

Marius leunt achterover en blijft omhoogkijken. Wat goed dat hij er ineens aan dacht. In juni, bij de laatste bijeenkomst van de jongerenwerkgroep, had de man van de sterrenwacht gezegd: 'Niet vergeten, hoor! Op de laatste nacht van jullie grote vakantie zijn de Perseïden op hun sterkst. En er is bijna geen maan, dus –'

Ja! Daar gaat er een. Marius brengt de verrekijker naar zijn ogen en richt hem op het ijle lichtspoor in de nachtelijke lucht. Maar tegen de tijd dat hij de plek waar de meteoor te zien was heeft gevonden, is hij al weer uitgedoofd. Dat schiet niet op. Hij legt de verrekijker weg, kijkt op en ziet er meteen nog een. Hij gaat op het randje van de bank zitten, op zijn handen, en tuurt omhoog. Geweldig dat ze precies kunnen voorspellen waar en wanneer zo'n meteorietenzwerm te zien zal zijn. Het is niet meer dan een beetje stof in de ruimte, dat verbrandt op honderd kilometer hoogte in de lucht... Nóg een. Een grote, scherpe streep aan de hemel. Kaarsrecht en wit.

Gespannen blijft Marius omhoogkijken. De meteorieten komen uit het sterrenbeeld Perseus. Niet écht, natuurlijk. De man van de sterrenwacht heeft het uitgelegd: ze lijken daarvandaan te komen, maar het sterrenbeeld staat miljoenen keren verder weg.

Het hele sterrenbeeld bestaat trouwens niet eens. Geen enkel sterrenbeeld bestaat echt, want de ene ster staat misschien wel tien of honderd keer verder weg dan de andere. Het zijn allemaal hete zonnen die ieder een eigen kant uit vliegen... Maar de mensen geven alles een naam, en dan wordt een groepje sterren ineens een beer of een steenbok.

43

'Wat doe jij daar nou?' klinkt het ineens, zachtjes en verbaasd. Marius vliegt overeind. In de deuropening staat zijn moeder in haar nachthemd. Haar haar zit door de war. 'Je liet me schrikken… Ik dacht dat je een spookje was.' Ze loopt de tuin in naar hem toe en pakt hem vast. 'Kind, wat ben je koud.'

Nu pas merkt Marius hoe koud hij het heeft. Ook al is het een warme nacht, ongemerkt is hij afgekoeld. Zijn moeder draagt nog de warmte van haar bed met zich mee. Hij slaat zijn armen om haar heen en legt zijn wang tegen haar warme buik. Zijn moeder streelt zachtjes zijn haar.

'Wat was je toch aan het doen? Kon je niet slapen?'

Marius zegt niets. Ineens moet hij weer aan zijn droom denken – de lange ziekenhuisgang, de man met de grote handen… Hij begraaft zijn gezicht in zijn moeders nachthemd en snuift haar geur op. Ineens rilt hij van de kou.

Zijn moeder neemt hem mee naar het bankje en trekt hem bij haar op schoot. Zo zitten ze bijna nooit meer. Hij is er eigenlijk te groot voor. Maar het is fijn. De kou trekt uit hem weg.

Marius wijst in de richting waar de meteoren te zien waren. 'Vannacht kun je de Perseïden zien,' fluistert hij. 'Dat is een meteorietenzwerm.'

Zijn moeder glimlacht en trekt hem nog steviger tegen zich aan. 'Kijk! Daar gaat er weer een.'

'Mooi,' zucht zijn moeder. 'Je weet toch dat je een wens mag doen als je een vallende ster ziet?'

Marius zegt niets. Dat van die wensen, daar gelooft hij niet meer in. Hij wil alleen dat ze zo nog heel lang blijven zitten.

'Het is een wonder, hè, mam,' zegt hij na een poosje.

Ze knikt en is even stil. 'Eh… wat precies?' vraagt ze dan.

'Alles!' antwoordt Marius.

'Ja,' fluistert zijn moeder en ze knikt nog eens. Dan komt ze langzaam overeind. Hand in hand lopen ze naar de keukendeur en gaan naar binnen.

'Ik ga koffiezetten, je vader komt zo naar beneden.' Marius' moeder knipt het kleine lampje boven het fornuis aan. 'Ga jij nog maar een paar uurtjes slapen. Ik kruip er zo ook weer in, als je vader weg is.'

Marius knikt. Hij knijpt zijn ogen dicht tegen het licht, en ineens voelt hij hoe moe hij nog is. 'Welterusten, mam.'

'Welterusten, lieverd... Mooie dromen!'

Halverwege de trap naar boven komt Marius zijn vader tegen. Die heeft zijn pilotenuniform al aan en zijn haar zit glanzend naar achteren gekamd, met veel gel erin. 'Hé, Muissie,' lacht zijn vader. 'Moest je plassen, jongen?' Hij buigt voorover en geeft Marius een zoen op zijn wang. 'Welterusten, lieverd.' Hij ruikt naar aftershave: fris en stoer en sterk.

'Goeie reis, papa.'

'Ja, dank je.' Zijn vader loopt door naar beneden. 'Dahaag!' fluistert hij nog vanuit de gang, en dan verdwijnt hij de keuken in.

Marius loopt naar de kamer van zijn ouders en kruipt in het grote bed. Het is nog warm. Hij bedenkt blij dat hij de volgende keer op de sterrenwacht kan vertellen dat hij de Perseïden heeft gezien, en dan valt hij in slaap.

HERFST

io MIST

Marius wordt wakker van geloei in de verte. Hij kent dat geluid, het zijn misthoorns van schepen. Onzichtbaar roepen ze naar elkaar. Door de witte soep, zoals opa het noemt, over de stille, koude zee.

'Mwoeoeoeoe… Mwoeoeoeoe…' Alsof een kudde dinosaurussen voorbij zwemt door de mist, opgedoken uit een wereld die al miljoenen jaren niet meer bestaat.

Koude lucht stroomt door het open raam naar binnen. De geluiden van buiten klinken gedempt, behalve het trippelen en koeren van de duiven in de dakgoot. School is allang weer begonnen. Het is al weer doodgewoon om in groep acht te zitten. Marius is ook al weer naar de jongerenwerkgroep geweest, in de sterrenwacht die een eind voorbij opa's huis in de duinen staat. Nog steeds is hij daar de allerjongste, maar hij was wel mooi de enige die de Perseiden gezien had. Alle anderen waren het vergeten.

Kerkklokken beginnen te beieren. Op straat klinken nu ook de stemmen en voetstappen van de kerkgangers. Marius gaat nooit naar de kerk. God bestaat niet, volgens papa, en opa gelooft er ook niet in. Maar hoe de wereld dan wel in elkaar zit, weten zij ook niet.

Er loopt iemand de trap af. Mama's voetstappen. Ze gaat het ontbijt klaarmaken. Toen hij klein was, kroop Marius dan bij papa in bed. In die tijd was papa vaker thuis dan tegenwoordig. Hij vertelde dan over de reizen die ze samen zouden gaan maken als hij groot zou zijn. Naar donker Afrika, naar Nepal en Tibet. Oerwouden verkennen, nieuwe diersoorten ontdekken en ruïnes van verborgen steden. Nu gaat hij niet meer naar papa. Soms weet hij niet eens of papa thuis is of niet. Het is net alsof alles een beetje uit elkaar valt als je groter wordt.

Marius wil opstaan, maar het zal nog wel koud zijn in de keuken. Waterkoud. Hij kan beter even wachten tot mama beneden alles een beetje op gang heeft – de verwarming, de oven, het fornuis, de waterkoker. Hij kruipt naar het voeteneinde van zijn bed, waar het warm en donker is. Daar maakt hij zich klein en houdt zijn adem in. Zo zit een kangoeroejong in zijn moeders buidel, denkt hij.

Als Marius beneden komt is het in de keuken lekker warm. De ramen zijn beslagen. Alleen de vloer is nog koud aan zijn voeten. *Doev, doev, doev* – de eieren stuiteren over de bodem van de pan. Ze worden opgetild door de belletjes van het kokende water. De keuken ruikt naar thee en afbakbroodjes.

'Hé, Meessie.'

'Hoi mam.'

'Lekker geslapen?'

'Ja, hoor.'

Pieter en papa komen ook de trap af stommelen. Ze praten brommend en lachen hard. Net alsof er twee mannen lopen. Mama haalt de broodjes uit de oven en legt ze in de broodmand, naast het tijgerbrood.

'Hoef je nu niet te werken?' vraagt Marius. 'Met die mist?'

'Ook goeiemorgen!' Papa ploft neer aan tafel.

'Goeiemorgen, papa.'

'Het is alleen maar zeemist. Ik heb het al gecheckt op het net en bij de vluchtleiding. Laaghangend spul. Dun. In het binnenland is het zicht prima. Ik ga zo de deur uit.'

'O.'

'Jammer, hè?' Papa glimlacht scheef. 'Ik had ook wel weer eens echt willen uitslapen.'

Marius vindt zijn ei veel te zacht gekookt, maar hij prakt het toch maar op zijn boterham. Eigeel en glibber druipen op zijn bord.

'Ga je gezellig met ons mee?' vraagt mama aan Marius. 'Ik breng Pieter naar voetbal. Kun jij daar spelen. Kikkervisjes vangen in de ijshockeyvijver.' Ze lacht naar Marius. 'Dat vind je toch altijd leuk?'

Marius pakt het zout. 'Er zijn in oktober geen kikkervisjes, mam.'

'O, nou, andere beestjes dan?'

Marius schudt zijn hoofd. 'Ik ga naar opa.'

'Ga toch mee naar de voetbal, jongen,' zegt papa. 'Opa voelt zich niet zo fit de laatste tijd. Dat weet je toch?'

'We gaan een vlieger maken. Heeft hij beloofd.'

'Waarom ga je niet bij Rinus langs?' vraagt mama. 'Of bij Rens? Altijd maar bij die ouwe man zitten… Ik bedoel… Hij is natuurlijk ontzettend lief, maar…'

Marius schuift een stuk slap tijgerbrood op zijn vork en schudt nee.

Marius loopt over straat. De mist is dik. Ruisend ademt hij uit door zijn mond om zo groot mogelijke wolken te maken. Opperhoofd Glanzende Zeehond rookt de vredespijp.

De herfstbladeren in de goot zijn zwart en plakken aan elkaar. In de kerk zijn ze aan het zingen. De deuren zijn dicht, maar je kunt het buiten horen. Hij heeft wel eens zo'n deur opengetrokken als ze daarbinnen bezig waren. Het rook er zoet en het was er schemerig. De mensen in de kerk keken verstoord om. Met een klap had hij de deur dichtgegooid en hij was weggerend, bang dat ze achter hem aan zouden komen en hem zouden pakken.

Marius loopt door, in de richting van het strand. Als hij over het strand naar opa gaat, hoeft hij niet langs de kliniek. Hij wil er niet eens aan denken hoe eng het zou zijn als die man met die handen en die ogen weer zou opduiken achter het hek.

Op alle ramen zitten glazenwassers. Ineens zijn ze er weer, zoals altijd ergens in de herfst. Eigenlijk heten ze langpootmuggen, maar ze steken niet. Het zijn trage insecten die niet veel kunnen. Marius pakt er een. Hij maakt met kromme vingers een traliehuisje van zijn hand. Het diertje fladdert om los te komen en verliest daarbij meteen al een poot. Zijn vleugels stellen ook niet veel voor. Morgen zullen ze weer weg zijn. Waarnaartoe? Vliegen ze weg, waaien ze weg of gaan ze allemaal dood?

Marius steekt de zeeboulevard over en daalt af naar het strand. Het mulle zand is stroef. De mist zit er diep in. Lusteloos likt het water aan het zand.

Ribkwalletjes liggen als zachte knikkers in het zand. Witte streepjes in de doorzichtige diertjes, als de lijnen op een wereldbol. Ribkwallen doen niets. Ze zien niets, ruiken niets en horen niets. Toch leven ze een beetje. En als ze uitdrogen, gaan ze dood. Marius verzamelt handenvol van de glibberige bolletjes en gooit ze terug in het water.

Hij loopt verder en verder. De mist is zo dicht dat hij nog geen tien meter ver kan kijken. Verder weg is misschien wel niets meer. Misschien is de rest van de wereld wel vergaan.

Zijn voetstappen zijn de enige op het natte zand. Hij is alleen op de wereld. Een wereld van water, zand en mist. Pas na een hele tijd vraagt hij zich af waar hij is. Hij heeft geen flauw idee. Hij loopt naar de voet van de duinen. Als hij daarlangs blijft lopen, moet hij vanzelf bij de trap uitkomen.

Na een poosje komt Marius uit bij de brede duinovergang van de tweede strandtent. Hij snapt niet hoe hij zo ver heeft kunnen lopen. Hij gaat de overgang over. Als hij vandaar de duinweg volgt, komt hij ook bij opa's huis.

Ineens doemt een grote herdershond op uit de mist. Verende tred, tong uit de bek. Het dier komt recht op hem af, blaft en springt tegen hem op. Pezige poten met harde nagels. De hond hijgt en stinkt uit zijn bek. Hij likt Marius' gezicht. Marius zet zich schrap en duwt hem weg, maar het dier is sterker dan hij.

'Caesar!' klinkt een stem. 'Af!' Een man met een kaal hoofd en een dikke nek komt vanuit de mist aanlopen. Hij heeft legerkleren aan, van die donkergroen gevlekte. Een stok in zijn hand. De hond krimpt ineen en jankt.

Marius haalt zijn mouw over zijn gezicht.

'Hij is niet gevaarlijk!' De man kijkt Marius fel aan, met half dichtgeknepen ogen. 'Maar je moet nóóit laten merken dat je

bang bent. Dat ruiken ze. Dan kan het misgaan. Het blijven beesten!'

Marius knikt en wil doorlopen, maar de man port hem tussen zijn ribben met de stok. 'Je moet gewoon niet bang zijn! Je kunt het toch niet voor ze verbergen. Hun reuk is duizend keer beter dan die van ons. Ze ruiken alles!'

'Ja, meneer.' Marius stopt zijn handen diep in zijn zakken en loopt snel door.

'Caesarrr!' hoort hij nog achter zich. 'Apport!'

Hij kijkt om.

Blaffend rent Caesar achter de stok aan die de man wegwerpt, diep het stekelige struikgewas in.

11 HET GROTE VLIEGERBOEK

'Hang die natte jas maar bij de kachel.' Opa loopt naar de keuken om chocolademelk te maken. Het is warm en knus in de kamer. Boven de tafel brandt de lamp. Buiten steken alleen wat struiken als slome spoken boven de mist uit.

Vos ligt te slapen voor de gashaard. Blauwe vlammetjes achter de ruitjes. Als Marius bij hem hurkt en zijn stugge grijze vacht aait, klopt Vos twee keer met het puntje van zijn staart op het kleed. Precies genoeg om te laten merken dat hij weet dat Marius er is. En dat hij het fijn vindt als Marius hem even aait.

'Ga maar lekker slapen, Vos,' zegt Marius en hij loopt naar de tafel. Met andere mensen zit opa altijd in zijn stoel bij het raam, maar als Marius er is, zitten ze aan tafel. Daar kunnen ze werken: knutselen, dingen opschrijven, lijstjes en bouwtekeningen maken, apparaten uit elkaar schroeven, grote boeken inkijken en meer van dat soort dingen.

Vandaag gaan ze een vlieger maken. Weken eerder al hebben ze dat plan gemaakt, toen Marius aan opa vertelde hoe de oude vlieger eraan toe was geweest. En hoe hij hem begraven had, net als die meeuw.

Op tafel ligt een boek klaar. Een oud, stoffig boek. *Het grote vliegerboek*, leest Marius op de rode omslag. Dat was niet helemaal wat hij zich had voorgesteld. Een beetje teleurgesteld slaat hij het open. In de bieb moet toch wel iets beters te vinden zijn, of op internet?

Het boek staat vol met ouderwetse bouwschema's: tekeningen vol pijlen en stippellijnen die aangeven hoe je de vliegers moet maken. Het ziet er saai en ingewikkeld uit. Ergens in het midden zijn groezelige zwart-witfoto's afgedrukt: jongens in korte broek en wit overhemd, en een pijprokende vader met stropdas die met een figuurzaag in de weer is. Op een andere foto een lachende moeder achter een naaimachine. Verderop het hele stel vliegerend op het strand.

Mensen uit de tijd dat opa klein was.

'En?' vraagt opa nieuwsgierig als hij binnenkomt. 'Heb je er al een uitgezocht?'

Marius schudt nee. Hij bladert lusteloos in het boek. 'De klassieke ruitvlieger', leest hij, en even verderop: 'Een pittig kruisvliegertje'. Hij slaat nog een bladzijde om en komt bij 'De robuuste doosvlieger'.

Opa komt naast Marius zitten. 'Ik kreeg dit boek net na de oorlog, voor mijn tiende verjaardag. Ik heb ze in de loop der jaren bijna allemaal gemaakt… Eerst nog met mijn vader. Daarna met Steven, en later met je vader en met oom Wouter. Nou, en toen wilde Yvonne natuurlijk ook. Met haar heb ik een enorme doosvlieger gemaakt.'

Hij lacht. 'Dat logge ding kwam alleen van de grond als het zo ongeveer stormde… Yvonne hield hem niet eens. Ze moest loslaten, anders was ze meegesleurd.' Hij schudt zijn hoofd. 'Helemaal bij Van Reeuwen vonden we hem later terug. Hoog in een boom… compleet aan flarden.'

Opa trekt het boek naar zich toe en begint te bladeren. Bij iedere bouwtekening knikt hij tevreden, of hij glimlacht.

Het boek ruikt muf. Marius blaast het vel op zijn chocolademelk aan de kant en neemt een slokje.

Opa bladert door naar het einde van het boek. Hij bestudeert een bladzijde en laat hem dan aan Marius zien. 'Dit is de enige die ik nog nooit heb gemaakt.'

'De tetraëdrische doosvlieger,' leest Marius moeizaam. De tekening die erbij hoort ziet eruit als de ingewikkeldste van het hele boek.

'Wat denk je ervan?' vraagt opa enthousiast.

'Eh, ja… kan,' antwoordt Marius.

'Zie je het niet zitten? Denk je dat hij te moeilijk is?' Opa bladert terug in het boek. 'We kunnen ook beginnen met een simpel ruitvliegertje. Maar… nou, ja, het had me gewoon leuk geleken om…'

'We kunnen die best doen, hoor,' zegt Marius. 'Ik weet gewoon niet wat zo'n tera—'

'Een tetraëder? Dat is een viervlak. Een regelmatig viervlak, opgebouwd uit driehoeken!' Opa bladert snel terug naar de tetraëdrische doosvlieger. 'Wil jij die tassen daar pakken?'

Achter Marius staan drie plastic tassen klaar. Uit een ervan steken bamboestokken omhoog. In de andere tassen zitten oude lappen, draad en dunne rubberen buisjes waarmee je de stokken aan elkaar kunt koppelen.

Als hij de rommelige spullen ziet, wil Marius bijna zeggen dat hij liever naar huis gaat. Hij had zich iets heel anders voorgesteld bij het maken van een vlieger. Maar het is zielig voor opa als hij nu vertrekt. 'Mijn vader zei,' begint hij aarzelend, 'dat ze tegenwoordig alleen nog maar koolstof stokken gebruiken voor vliegers, en spinakerdoek, en –'

'Onzin!' zegt opa. 'Het is veel leuker om te roeien met de riemen die je hebt. Iedereen wil tegenwoordig altijd maar meteen van die dure rommel kopen…' Hij gromt en moet dan vreselijk hoesten. De tranen lopen hem over de wangen.

'Gaat het?' vraagt Marius geschrokken.

'Water,' zegt opa hees. 'Wil je water halen?'

Marius haalt een glas water.

'Dank je,' zucht opa. Met een beverige hand pakt hij het glas aan.

Als Marius doorkrijgt wat ze precies gaan maken, krijgt de vliegerkoorts hem ook te pakken. Opa heeft gelijk, het is leuk om uit bijna niets iets te maken. Met ecoline kleurt hij de stof. Hij zoekt de beste bamboestokken uit, meet ze op en tekent af waar opa ze op maat moet knippen. Tot op de millimeter tekent hij op de stof hoe het doek geknipt moet worden. Lijnen en stippellijnen, met ruimte voor de naden.

Als Marius naar huis moet, zijn ze een eind opgeschoten, maar nog lang niet klaar.

'Morgen verder?' vraagt Marius.

'Moet jij niet naar school?'

'Om half vier kan ik hier zijn.'

Opa lacht. 'Zie je nu wel dat het leuk is zo?'

12 BIJNA EEN ONGELUK

De volgende dag werken opa en Marius verder aan de vlieger. Vos slaapt voor de kachel, bromt af en toe wat in zijn slaap en slaat dan met zijn staart op de grond. Marius tekent met een zwarte stift dreigende doodshoofden op de felgekleurde stof. Opa zoomt de naden om. Buiten regent het.

Op dinsdag leggen ze de laatste hand aan de prachtige, enorme vlieger. Uitgeklapt is het een piramide die tot boven Marius' middel komt. Ingeklapt is het een grote driehoek. De stof zit goed strak, de hoeken zijn stevig en het bamboe is kaarsrecht.

'Hij is perfect!' zegt Marius.

Opa glimlacht. 'Pas als hij vliegt, weten we of hij perfect is.' Hij kijkt naar buiten. 'Maar dat zit er helaas vandaag niet meer in.'

Marius kijkt op. Het regent nog steeds en het is al weer donker.

'Ik breng je wel naar huis met de auto,' zegt opa.

Opa klapt de achterbank van zijn auto neer en samen schuiven ze in de plenzende regen Marius' fiets naar binnen. Marius mag voorin.

Het is koud in de auto. De ruitenwissers kunnen het water dat over de voorruit stroomt bijna niet aan. De kachel blaast koude lucht de auto in. Opa rijdt heel langzaam. Voorovergebogen zit hij achter het stuur, zijn gezicht lijkt grijs in het koude licht van de lantaarnpalen. Het raam aan zijn kant staat op een kier om frisse lucht binnen te laten.

Ineens is Marius bang. Bang voor de regen, het donker en de voorbijflitsende koplampen van de tegenliggers. Bang om voor in de auto te zitten. Bang voor alles. Hij rilt en kruipt zo diep mogelijk weg in zijn jas. Die ruikt naar opa's kachel en naar Vos.

'Je hebt het koud, hè?' zegt opa. 'Het duurt lang voor de kachel op gang komt. Maar ja, het is mijn allerlaatste auto. Ik ga geen nieuwe meer kopen. Zeven auto's heb ik versleten in mijn leven. Dit is de laatste.' Even kijkt hij opzij.

Opeens schijnen felle koplampen de auto in. Ze schrikken allebei. Opa trekt te hard aan het stuur, ze schampen de berm en hobbelen een paar meter over het gras. Dan rijden ze weer recht.

'Niks aan de hand,' zegt opa en hij schraapt zijn keel. Dan parkeert hij de auto in een vluchthaven. Hij legt zijn voorhoofd op het stuur en haalt een paar keer diep adem. De regen klettert op het dak en op de voorruit.

Marius zit verstijfd naast opa. Hij kijkt naar de ruitenwissers die heel snel heen en weer bewegen. Zijn hart bonst in zijn keel. Hij voelt zich klein.

'Rótweer...' mompelt opa dan en hij kijkt op. 'Gelukkig zijn we er bijna.' Hij gaat de weg weer op, rijdt nog een stukje verder over de randweg en slaat dan rechts af, de straat in waar Marius woont. 'Zeg maar niets tegen je vader en moeder over daarnet... Ze zouden zich alleen maar ongerust maken, en er is toch niets gebeurd.'

Marius knikt, maar als ze zijn fiets uit de achterbak halen, trillen zijn handen nog van de schrik.

13 HET OPZICHTERSHUIS

Stevige witte wolkjes jagen voorbij door de blauwe lucht. Het is lekker koud. Na school loopt Marius naar huis. Woensdagmiddag, vrij!

'Ga je nog naar iemand toe? Heb je iets afgesproken?' vraagt mama als ze klaar zijn met eten. 'Ik moet zo de deur uit, dat weet je toch?'

Marius knikt. Opa kon vandaag niet. Die ging zijn broer Steven weer eens opzoeken. 'Je mag wel met Vos wandelen,' had opa gezegd. 'Die blijft thuis. Maar ik wil dat je met de vlieger wacht tot ik erbij ben.'

Op school heeft Marius er niet aan gedacht om iets af te spreken. Eigenlijk had hij daar ook geen zin in. Hij heeft ook geen zin om met Vos te wandelen. Dat is alleen nog maar sloom sjokken. Vos wil het liefst helemaal niet meer wandelen.

'Ik wil niet dat je de hele middag hier in je eentje rondhangt.' Mama duwt Marius de telefoon in zijn hand. 'En het is veel te mooi weer om binnen te zitten.'

Marius doet alsof hij Rinus belt. Hij toetst het nummer in, drukt dan de telefoon uit en wacht even. 'Ja, eh… hallo, met Maas. Is Rinus er? Wat? Met Rens naar het veldje? O… dan ga ik daar wel kijken. Dahaag.'

'Wat zegt u, mevróúw? Dank u wel, mevróúw…' zegt mama verwijtend. 'Een beetje beleefder mag wel, hoor.'

'Ja mevrouw, sorry mevrouw. Dank u wel, moedermevrouw,' zegt Marius en hij loopt de keuken uit.

Doelloos dwaalt Marius door de stad – langs school, door de winkelstraten en dan het Meka-buurtje in. Waar vroeger de Meka-fabriek stond. Hij kan alleen maar denken aan de vlieger en hoe ze hem op zullen laten. Nooit eerder heeft hij zoiets moois en groots en ingewikkelds gemaakt. Oké, opa heeft natuurlijk geholpen. Ze hebben hem samen gemaakt. Maar opa heeft hem ook belangrijke dingen laten doen. Dingen waarvan papa ongeduldig zou zeggen dat hij ze wel even zou doen. En dan zou hij de spullen uit Marius' handen trekken.

'Hé,' hoort hij ineens vanaf de overkant van de straat. 'Maas?'

Marius ziet Evert staan, de grote broer van Rinus. Evert zit bij Pieter in de klas. Marius is wel eens jaloers op Rinus, want Evert is een veel leukere broer dan Pieter.

'Kom 's!'

Marius steekt over. Evert zit op een muurtje naast de ingang van een steeg. Hij wenkt geheimzinnig en neemt Marius van top tot teen op.

'Heb je haast?' vraagt hij.

'Nee.'

'Mooi. Ik heb iemand nodig.'

Marius zegt niets.

Evert knikt de steeg in. 'Iemand die goed uit zijn doppen kan kijken.'

Marius knikt begrijpend. 'Een wachter.'

Evert komt soepel overeind en prikt met zijn vinger in Marius' borst. 'Precies!' Hij is meer dan een kop groter dan Marius. 'Ik heb lui gezien bij het opzichtershuis. Niet uit onze buurt. Vage types. Ik denk dat ze er spullen hebben verstopt.'

'Gestolen spullen?'

Evert knikt en spuugt op straat.

'Is dat dan niet gevaarlijk?'

Evert haalt zijn schouders op. 'Valt wel mee, denk ik. Je kunt daar best makkelijk wegkomen, en als jij de boel goed in de gaten houdt... Kom op.' Hij springt van het muurtje en loopt de steeg in.

Marius loopt achter Evert aan.

Het opzichtershuis is een leegstaande villa midden tussen de huisjes van het Meka-buurtje, met een verwilderde tuin eromheen. Al jaren staat er een bord dat het afgebroken gaat worden en dat het er gevaarlijk is en verboden toegang en zo. De ruiten liggen eruit, overal in de tuin ligt afval. De grote jongens spelen er vaak, en er wordt gefluisterd dat er 's nachts soms licht brandt en vreemde geluiden klinken.

Marius is er nog nooit binnen geweest. Van de zomer is hij met Rinus en Rens wel een keer de tuin in gelopen. Toen ze midden tussen de metershoge braamstruiken en brandnetels stonden, begon de bekogeling. Grote jongens gooiden vanuit het huis stenen en stukken hout naar hen. 'Oprotten, baby's!' riepen ze. Ze maakten dat ze wegkwamen.

Evert en Marius komen de steeg uit en steken de straat over. Evert kijkt rond. Niemand. Hij duwt het verroeste hek op een kier en glipt naar binnen. 'Snel!' sist hij en Marius glipt achter hem aan.

Evert wijst. 'Je kunt daar en daar het hek door, en achter het huis is links een doorgang naar de straat. Op de eerste verdieping zijn aan allebei de kanten grote ramen. Jij houdt daar de wacht terwijl ik het huis doorzoek. Oké?'

Marius knikt twijfelend. Nu kan hij echt niet meer terug.

Evert loopt voor hem uit naar de voordeur. Links van de deur zit een trappetje omlaag, naar de deur van het souterrain. Die deur hangt scheef in zijn scharnieren. Evert zet zijn schouder ertegen en de deur gaat piepend open.

Binnen is het schemerig. Oude planken, beschimmelde kranten, gruis en witte brokstukken. De geur van pies en verrotting. Voetje voor voetje schuifelen ze verder het souterrain in.

Het is doodstil. Marius' hart klopt in zijn keel.

In de donkerste hoek is een houten wenteltrap. Evert kijkt om naar Marius. 'Pas op dat je er niet door zakt! Aan de zijkanten lopen.'

Marius volgt Evert naar boven. Zwarte donkere gaten waar treden verdwenen zijn. Koude, muffe lucht stijgt eruit op.

Dan staan ze in een lange gang met een vloer van gebroken marmeren tegels. De vloer is bezaaid met herfstbladeren en oude kranten.

'Hoe weet je waar je moet zoeken?' vraagt Marius. Zijn stem klinkt dun en beverig.

'Ben je bang?' Evert grijnst.

Marius schudt nee.

'Kom.' Evert loopt de gang in. 'Ken je het hier?'

'Nee.'

'Dit is de trap naar boven. Daar zijn twee grote kamers. Als je iets verdachts ziet of hoort, dan fluit je. Ja?'

Marius knikt.

'Kun je wel fluiten? Zo?' Evert kromt zijn duim en wijsvinger tegen elkaar en blaast erop. Er klinkt een snerpend gefluit.

Marius probeert het. Er komt geen geluid. Hij probeert het nog eens.

'Laat maar... Roep maar gewoon. Ja?'

'Oké.'

Marius loopt de trap op, iedere tree kraakt en piept. Boven is het lichter. Houten vloeren, gruis en rommel. Een brandplek in de vloerplanken. Een uitgedroogde drol met een prop vies krantenpapier ernaast. Restjes bloemetjesbehang op de muren.

'Alles oké?' klinkt het van beneden.

'Ja.' Marius loopt naar de ramen aan de voorkant en kijkt uit over de tuin. Er groeien alleen maar struiken en brandnetels. Er staan een paar fietswrakken tegen het hek en door de hele tuin liggen glasscherven en bierblikjes.

Hij loopt naar achteren. In de achtertuin is het al net zo'n grote rotzooi. Beneden hoort hij Evert rommelen. Marius vindt er niks aan. Vieze ouwe meuk, verder niets. Hij sloft weer naar de voorkant van het huis en kijkt naar beneden. Daar loopt iemand! Hij is al bijna bij de deur van het souterrain en kijkt omhoog, recht in Marius' gezicht.

Marius schrikt zich dood. Het is Vogelpoep en hij is nog veel groter dan Marius zich herinnert. Hij draagt een dikke knalrode jas, een soort gewatteerde slaapzak, waarin hij op een monsterlijke tomaat lijkt, of op een luchtballon. Zijn rode haar staat pluizig omhoog, als babyhaar.

Vogelpoep glimlacht naar hem en legt een vinger tegen zijn lippen.

Marius knikt langzaam. Vogelpoep steekt zijn duim naar hem op en glimlacht nog eens. Dan loopt hij de treden af naar het souterrain. Marius hoort hoe hij de deur openduwt en naar binnen gaat.

'Evert!' roept Marius dan, en hij rent naar de trap. 'Vogelpoep!'

'Hè?' klinkt het gesmoord. 'Wat?'

'Vogelpoep komt eraan!'

14 VOGELPOEP

Beneden klinkt gevloek en gestommel. Rennende voetstappen, het slaan van een deur. Dan is het weer stil.

'Evert?' fluistert Marius in het trapgat. Er komt geen antwoord.

'Evert?' herhaalt hij, nu wat harder.

Vogelpoep verschijnt in het trapgat, een vette grijns op zijn ronde gezicht. 'Hoi.' Vogelpoep heeft een hoge stem, net die van een meisje.

Marius rent weg, doodsbang. De gang door, een volgende trap op naar boven, en nog een trap. Hij komt uit op een schemerige zolder. Er zitten gaten in de vloer waar stukken plank weg zijn.

Op de eerste verdieping had hij misschien nog weg kunnen komen over het balkon, maar hier is geen uitweg. Doodsbang loopt Marius de lege zolder op. Vogelpoeps voetstappen klinken op de trap. De planken veren door onder Marius' voeten. Het hout kraakt als dun ijs. Hij ziet de verdieping eronder door de gaten in de vloer. Marius loopt verder. In de verste hoek is een raampje, misschien is daar een brandtrap naar beneden.

Maar er is niets. Het raampje kan zelfs niet open, er zit een ijzeren stang voor.

Vogelpoep komt de zolder op. Marius draait zich om. Hij staat met zijn rug tegen de muur en kan geen kant meer op.

'Ik zei toch dat je stil moest zijn?' piept Vogelpoep.

Marius zegt niets.

'En die naam die je noemde...' Vogelpoep blijft staan. Hij

houdt zijn hoofd scheef. 'Zo heet ik niet. Allang niet meer. Die
naam is verboden… Streng verboden!'

Hij doet nog een stap naar voren.

Met een droge krak breekt de plank waar hij op wil gaan staan.
Vogelpoeps been zakt weg door de vloer en hij schreeuwt het uit.
Marius blijft als aan de grond genageld staan.

Met een van pijn verwrongen gezicht probeert Vogelpoep zijn
been omhoog te trekken, maar hij zit klem. 'Help me dan, verdomme! Vuile lafaard!' roept hij naar Marius, en hij slaat met ge-
balde vuisten op de planken die hem gevangen houden.

Marius schuifelt langzaam naar de zijkant van de zolder, waar
het dak schuin naar de vloer loopt. Dan rent hij diep gebukt, zo
snel als hij kan, langs Vogelpoep.

'Help me dan, rotzak! Ik heb mijn been gebroken! Lafaard!'

Bij de trap blijft Marius staan. Vogelpoep kijkt naar hem om, zijn hoofd rood en dik van woede en pijn.

'Waarom heet jij eigenlijk Vogelpoep?' vraagt Marius ineens met een dun stemmetje – hij weet zelf niet goed waarom hij dat doet.

'Rotzak!' schreeuwt de dikke jongen. 'Zo heet ik niet! Dat wil ik jou juist in je babyhersentjes rammen!' Het lijkt hem ineens te lukken om zijn been uit het gat in de vloer te trekken.

Marius rent weg, de trap af.

'Wacht maar!' buldert Vogelpoep hem achterna. 'Ik krijg jou nog wel!'

Marius maakt dat hij wegkomt, achtervolgd door het geschreeuw van Vogelpoep. Een verdieping lager ziet hij het been van Vogelpoep hangen. Midden in de kamer steekt het uit het plafond, tot ver boven de knie. Vogelpoep moet opnieuw zijn weggezakt. Maar Marius blijft rennen, de gang door, de volgende trap af, naar het souterrain, naar buiten. En verder, de tuin door, het hek door, de straat over, de steeg in.

Zelfs als hij allang het Meka-buurtje uit is en in de grote winkelstraat is beland, blijft hij rennen. Pas als hij in de boekwinkel staat, met een stripboek opengeslagen in zijn handen, vraagt hij zich af of hij niet iemand moet waarschuwen, zodat ze Vogelpoep kunnen redden. Anders blijft hij misschien wel voorgoed vastzitten daar op zolder. Met een vreselijk gewond been...

'Als je het wilt lezen, dan heb ik liever dat je er eerst mee langs de kassa gaat,' klinkt een stem achter hem.

Marius slaat de strip dicht, zet hem terug in het rek en draait zich om. 'Er zit een jongen vast!' zegt hij dan tegen de mevrouw van de winkel. 'Met zijn been door het plafond van het opzichtershuis. Het is Vogelpoep! Misschien heeft hij zijn been wel gebroken!'

De mevrouw van de winkel kijkt Marius verbaasd aan. 'Wát zeg je?'

'Eh… laat maar.' Marius loopt de winkel uit. Hij moet terug. Iemand daar in de buurt waarschuwen en dan meteen weer wegwezen.

Als Marius vanuit de steeg voorzichtig de straat van het opzichtershuis in kijkt, kijkt hij recht in het gezicht van Vogelpoep. Die steekt net de straat over. Hij hinkt en er zit een grote scheur in zijn broek. Marius maakt zich uit de voeten. 'Ik weet precies wie jij bent, mannetje!' hoort hij Vogelpoep achter zich schreeuwen. 'Ik ken jouw familie! Ik ken ze allemaal!'

15 DE TETRAËDRISCHE DOOSVLIEGER

Er staat een stevige wind en het strand is breed. Witte koppen op de golven. Er zijn al anderen aan het vliegeren, en op zee is een kitesurfer bezig. Marius en opa kijken naar hem van hoog op het duin. Marius houdt de vlieger stevig vast. Zelfs ingeklapt is het nog een heel gevaarte.

'Zal ik hem de trap af dragen?' stelt opa voor.

'Nee hoor, doe ik wel, opa. Gaat best.'

'Maar als de wind eronder slaat... Weet je dat nou wel zeker?'

'Ja.' Marius drukt de vlieger tegen zich aan en houdt hem met beide handen stevig vast. De vlieger vangt meteen wind en duwt Marius achteruit. Hij stapt naar voren, zoekt met zijn voet naar de eerste tree.

De wind suist om Marius' oren en rukt aan de vlieger alsof hij hem nu al mee wil nemen. Tree voor tree daalt Marius af naar het strand. Vastberaden, voorzichtig en trots. De vlieger ziet er echt goed uit. De gekleurde doodshoofden op de stof zijn buiten nog mooier dan bij opa thuis onder het lamplicht. De keurig rechte zomen, de dunne bamboestokken – een pracht van een tetraëdrische doosvlieger. En ze hebben hem maar mooi helemaal zelf gemaakt, opa en hij.

Blij snuift Marius de zeelucht op. Hij zoekt met zijn blik de kitesurfer, en dan glijdt zijn voet weg over het zand op de volgende tree.

'Nee!' roept hij, en hij trekt de vlieger nog strakker tegen zich aan.

Hij valt.

'Laat hem los!' roept opa achter hem.

Maar het is al te laat. Marius landt met zijn volle gewicht op de vlieger. Hij komt hard neer op de hoekige treden, voelt de stokken kraken en hoort hoe de stof scheurt. Met de resten van de vlieger in zijn handen glijdt hij tree voor tree verder van de trap – een paar meter nog maar, ze waren al bijna beneden. Zacht landt hij in het opgestoven zand.

Stil blijft hij zitten. Opa komt bij hem staan. Hij zegt niets, maar geeft Marius een hand om hem te helpen opstaan. Als Marius staat, haalt opa een keurig opgevouwen plastic tasje uit zijn jaszak. Hij hurkt neer bij de resten van de vlieger en stopt de gebroken stokken en de gescheurde stof in het tasje. Marius kijkt zwijgend toe.

Opa komt weer overeind. Ze kijken elkaar aan.

'Zullen we maar teruggaan?' zegt opa, en hij legt zijn hand op Marius' schouder.

Marius perst zijn lippen op elkaar en knikt. Met lood in hun schoenen lopen ze samen weer naar boven, terug naar opa's huis.

Marius is misselijk van teleurstelling. En omdat hij zo boos is op zichzelf.

Bij de voordeur van opa's huis blijven ze staan.

'Moeten we kijken of er nog iets van te maken valt?' vraagt opa.

Marius haalt zijn schouders op en kijkt weg. Als hij nu iets zou zeggen, zou hij beginnen te huilen en niet meer ophouden.

'Misschien kan er nog wel een leuk klein vliegertje van gemaakt worden.'

Marius kijkt langs opa heen zonder iets te zien, en zegt niets.

Opa zet het tasje op het bankje naast de deur. Hij zoekt in zijn jaszak naar zijn sleutels. Dan draait Marius zich om en rent weg.

Terwijl de tranen over zijn wangen stromen, loopt hij over het smalle bospad terug naar zijn fiets. Dat is de lange weg, maar hij moet er niet aan denken om nu in zijn eentje langs de kliniek te moeten lopen. Niemand daar mag zien dat hij huilt.

16 EEN BESTUURBARE ZEEAREND

Dagenlang hangen er donderwolken in Marius' hoofd en wonen er padden en ander ongedierte in zijn buik. Hij heeft geen zin om met Rinus of Rens af te spreken en hij durft niet bij opa langs te gaan. Hij schaamt zich vreselijk omdat hij zo nodig de vlieger die stomme trap af moest dragen. Waarom luisterde hij nou niet naar opa?

Meestal als hij kwaad is of niet weet wat hij moet doen, dwaalt hij eindeloos door de straten en buurtjes van de stad, en over het strand en door de duinen, maar ook dat durft hij nu niet. Achter iedere hoek, achter iedere auto kan Vogelpoep opduiken. En dan is hij er geweest. Dat weet hij zeker.

Dus zit hij op zijn kamer. In een hoekje van zijn bed gamet hij tot zijn vingers krom staan en zijn ogen pijn doen. Lezen lukt niet eens. Steeds gaan de letters dansen voor zijn ogen.

Pas een week later ziet hij opa weer. Ineens staat hij voor de deur en vraagt of Marius meegaat. Hij heeft iets voor hem. Met de auto rijden ze naar het strand, voorbij de Lange Bocht. Een breed strand waar veel honden worden uitgelaten en waar ze soms met van die zeilkarretjes over het zand scheuren.

Veel wind is er niet. Er hangt een grijze wolkenplak boven zee en op het moment dat ze het strand op lopen begint het te mot-regenen. Opa heeft een bestuurbare vlieger voor Marius gekocht, een plastic roofvogel met twee nylon draadjes eraan. Het draad zit gewonden op klosjes waar je hand doorheen past. Een voor in je linker- en een voor in je rechterhand.

Marius zegt niet zoveel. Hij heeft het gevoel dat hij iets over de kapotte vlieger moet zeggen, maar hij weet niet goed wat. Misschien moet hij wel sorry zeggen tegen opa, omdat hij zo dom was, maar het lukt hem niet.

Opa houdt de vlieger omhoog en Marius trekt aan de draden. De plastic zeearend vliegt de lucht in, maakt een scherpe bocht en vliegt net zo hard weer omlaag.

'Stúren!' roept opa. 'Geef tegengas!'

De vlieger knalt tegen de grond. Opa loopt ernaartoe en raapt hem op. 'Goed sturen nou!' Hij laat hem los. 'Voorzichtig!'

Weer knalt de vlieger tegen de grond.

'Laat mij eens proberen,' zegt opa en hij neemt de klosjes draad van Marius over. Marius sloft naar de vlieger, die glanzend nieuw op het zand ligt. Hij raapt hem op en in één woedende beweging trekt hij hem kapot. Hij breekt de plastic stokken en scheurt de afbeelding van de zeearend doormidden. Dan begint hij te huilen.

Opa komt bij hem staan. Hij zegt niets, maar drukt Marius tegen zich aan. Een grote gehandschoende hand rust op Marius' hoofd. Het duurt een hele tijd totdat Marius weer rustig is.

'Sorry, opa,' klinkt het dan zacht. 'Sorry.'

Opa zucht. 'Als ik jou was, had ik precies hetzelfde gedaan.' En hij geeft een schop tegen de zeearend, of wat ervan over is.

'Maar ik schaam me zo om vorige week.'

'Tja… ik heb er de hele week aan moeten denken, zo ellendig vond ik het. Maar ik kan er ook niks zinnigs over zeggen… Zulke dingen gebeuren nu eenmaal.'

'We zullen nooit weten of hij gevlogen zou hebben of niet,' zegt Marius met een klein stemmetje.

Opa knikt. 'Nee. Dat is misschien nog wel het ergste.'

17 KRAAI

'Zullen we een nieuwe vlieger maken?' vraagt opa. 'Nog mooier en nog groter dan de eerste?'

Marius schudt nee. 'Ik ben bang, opa,' zegt hij dan zacht. En terwijl ze terug naar de auto lopen vertelt hij alles over Vogelpoep.

'Het zit je niet mee, hè?' zegt opa als hij klaar is.

'Wat moet ik nou?' vraagt Marius terwijl ze in de auto stappen. 'Ik ben zo bang dat ik hem tegenkom.'

Opa kijkt hem bezorgd aan en schudt zijn hoofd. 'Weet je… Heel gek.' Hij aarzelt, alsof hij niet weet of hij wel verder wil vertellen, maar uiteindelijk doet hij dat toch. 'Het doet me denken aan iets wat ik zelf ooit heb meegemaakt. Lang geleden, toen ik klein was… misschien iets ouder dan jij nu. In de Meka-buurt woonde een grote, manke jongen die niet goed kon leren. Hij was misschien een jaar of dertien en hij werkte al, hij liep mee met zijn vader die schoorsteenveger was. Een ruig type, met handen als kolenschoppen. Een groot gezin hadden ze, maar hij, die jongen, was de oudste. Willem heette hij. Ja, verrek… Willem, dát was zijn echte naam… Verder hadden ze een hele rits meiden. Groezelige meiden met wilde bossen haar en grote groene snottebellen.' Opa start de auto en rijdt weg.

'Maar wat gebeurde er dan?'

'Op een dag waren ze bezig tegenover de school. Die… Willem en zijn vader. Ik zat op de oude school aan de Quakkelaarstraat. Misschien ken je het gebouw wel, er zit al jaren een buurthuis in.

We verveelden ons. Het was benauwd in de klas, er stond zo'n grote zwarte kolenhaard te stinken in de hoek en de leraar wiskunde rookte de hele tijd sigaren. Vis heette hij, maar wij noemden hem Gerookte Paling. Een lange, dunne, strenge man. Het was zo'n dag als vandaag, grijs, met mot in de lucht. Wij zaten zo'n beetje te suffen boven onze schriften, en stiekem keken we hoe Willem met zijn vader de schoorsteen aan de overkant schoonmaakte.' Opa glimlacht weer. 'Ineens voelde ik een por in mijn zij. De jongen die naast me zat, knikte naar buiten. Het duurde niet lang of iedereen keek, ook al riep de leraar dat we niet mochten kijken. Zelf keek hij trouwens ook.'

'Wat wás er dan, opa? Vertel nou!'

'Op een plat dakje, tussen twee huizen in, zat Willem op zijn hurken, met zijn broek omlaag. Hij zat te poepen!'

'Hè? Maar zag hij jullie dan niet?'

Opa schudt zijn hoofd. 'Dat heb ik ook nooit begrepen. Wij zaten iets hoger dan hij, misschien zag hij ons echt niet. Maar ik denk dat hij wilde laten zien dat hij overal schijt aan had. Dat hij het wel leuk vond dat wij daarbinnen zaten, terwijl hij lekker buiten was en geld verdiende als een echte man… Ga je nog mee naar mijn huis?'

Marius knikt. Opa slaat af, de duinweg op.

'Maar opa, wat heeft dit nou met Vogelpoep te maken?'

'Waarom heet die jongen eigenlijk Vogelpoep?'

'Dat weet niemand.'

'Nou, weet je,' vervolgt opa zijn verhaal. 'Toen de school uitging en we naar buiten kwamen, waren Willem en zijn vader nog steeds bezig, een of twee huizen verderop. En ineens riep ik hard omhoog: "Dakkenschijter!" Ik zette mijn handen aan mijn mond en tetterde het nog een keer, nog harder, gewoon omdat het zo ontzettend lekker klonk: "Hé, Kraai Dakkenschijter!" En voor ik wist wat er gebeurde, stond de halve klas het te roepen. In koor: "Kraai Dakkenschijter!" Willem liet zich niet zien, maar zijn vader verscheen aan de dakrand en balde zijn zwarte knuisten naar ons. Hij zou ons allemaal de kop inrammen, bulderde hij vanuit de dakgoot, en hij gooide met modder en rotte bladeren. Zwarte smurrie die hij uit de dakgoot schepte. We gilden, stoven uiteen en renden ervandoor…' Opa zucht. 'Niemand noemde hem ooit nog Willem. Vanaf die dag heette hij Kraai Dakkenschijter. En ik had die naam verzonnen.' Opa schudt zijn hoofd. 'Het ergste was dat die jongen mank was en niets terug kon doen. We konden schelden wat we wilden, hij kon ons toch niet pakken.'

Opa parkeert de auto op zijn vaste plekje aan de duinweg, maar blijft zitten achter het stuur. 'Weet je,' zegt hij dan, 'jaren later werd hij nóg Dakkenschijter genoemd. Ik zag hem soms wel eens lopen met zijn ladder en zijn spullen, mank en zwart van het roet, en dan riepen de kinderen het hem na. Kinderen die waarschijnlijk helemaal niet wisten waarom hij zo werd genoemd. "Dákkenschijter!" Dan balde hij zijn vuist en riep dat hij ze krijgen zou. Maar hij zou ze nooit krijgen.'

Marius kijkt bang voor zich uit. 'Maar Vogelpoep is niet mank... Ja, misschien nu even, maar dat is vast zo weer over.'

Opa kijkt hem van opzij aan. 'Dat is misschien maar goed ook. Dan kan die jongen zich tenminste verdedigen.'

'O... dus het is goed als hij mij helemaal in elkaar slaat? Fijn om te horen.' Marius stapt uit en slaat het portier met een smak dicht.

Opa stapt ook uit. 'Zo bedoel ik het niet, Marius. Ik bedoel... ik heb me hier al die jaren voor geschaamd. Soms dacht ik dat ik naar hem toe moest gaan en sorry zeggen, maar om de een of andere reden doe je dat niet als volwassene, je verontschuldigen voor het kattenkwaad dat je uithaalde toen je een kind was...'

'Maar wat moet ík nou, opa?'

'Tja... goed uitkijken, denk ik, de komende maanden. Misschien dat hij het op den duur wel vergeet... En als je hem ziet, moet je maar meteen "sorry" roepen.'

'Hij ziet me aankomen.' Marius doet Vogelpoeps piepstemmetje na: 'Sorry? Wat nou, sorry? Ik trek je kop eraf!'

WINTER

18 KERSTVAKANTIE

Het is de eerste dag van de kerstvakantie. Mama is met Pieter naar voetbal, papa slaapt uit. Marius zit in zijn pyjama op de bank en kijkt tv. Peuter-tv.

Een roze konijn telt wortels: 'Eén wortel! Twee wortels. Ja, echt waar, kinderen! En dat zijn er drie! Drie wortels...'

Echt supersuf, toch blijft hij kijken, want verder is er helemaal niks.

Voetstappen op de trap. Snel zapt Marius door en hij gaat rechtop zitten.

Op de volgende zender is sport. Zwemmers die zichzelf met grote vlinderslagen door het water trekken.

Papa komt binnen. Trainingspak en sportschoenen aan. 'Zooo... goeiemorgen, Muis!'

'Hoi, pap.'

'Zwemmen?'

Marius knikt.

Papa loopt naar de tafel, waar ontbijt voor hem klaarstaat. Hij ploft neer. 'De Australian Open?'

'Kweenie.'

'En, wat zijn de plannen voor vandaag?'

'Eh... ik heb geen plannen.'

'O.' Papa slaat de krant open. 'Ik zou maar eens wat verzinnen dan. Je kunt toch niet de hele vakantie voor de tv gaan hangen?'

Marius haalt zijn schouders op. Hij weet dat papa niet tegen lamlendigheid kan, maar hij kan nu eenmaal niet anders.

Een poosje zijn ze stil. Papa leest de krant en eet zijn ontbijt, en Marius kijkt naar de zwemmers. Zwemmen is leuk, maar niet op deze manier. Stom baantjes trekken.

Dan gaat de telefoon. Papa neemt op.

'Bastiaan Dingemanse... Hé, dag Rinus. Zo, ook kerstvakantie, jongen? Wat zeg je? Of Marius bij je kan komen spelen? Natuurlijk. Wacht, ik geef hem je even.' Papa houdt de telefoon Marius' kant uit. Die staat op van de bank en pakt hem aan.

'Hoi... Ja. Leuk... Ja, natuurlijk. Zo meteen. Ik moet me eerst nog even aankleden. Maar kun jij naar mij komen? Wat? Op je zusje passen? De hele dag? O... eh... dus je kunt niet hierheen komen? O... ander keertje dan? Is goed, doei.' Marius voelt hoe papa naar hem kijkt. Hij kijkt weg, staart naar de zwemmers zonder iets te zien.

'Waar slaat dat nou weer op?' vraagt papa na een paar seconden. 'Waarom kun jij niet naar hem toe? Ben je de koningin of zo? Heb je geen benen meer?'

Marius geeft geen antwoord. Hij durft niet uit te leggen dat Rinus in dezelfde straat als Vogelpoep woont. Dat hij daarom echt niet naar hem toe kan.

'Jij belt nu Rinus terug en zegt dat je eraan komt. Ja?' Papa wijst naar de telefoon. 'Je wilde toch met hem spelen? Je zei toch "leuk"? Nou dan!'

Marius knikt onwillig en zijn hand gaat naar de telefoon. Maar dan springt hij op en rent weg. Met twee treden tegelijk rent hij de trap op naar boven, naar zijn kamer. Hij gooit de deur achter zich dicht en duikt op zijn bed. Als hij zijn vader hoort roepen, stopt hij zijn hoofd onder zijn kussen en wacht af, in de hoop dat papa naar boven zal komen en dat hij dan alles kan vertellen. Maar even later hoort hij de voordeur met een klap in het slot vallen.

19 ASTRONAUTEN

De astronauten zweven rond in een enorme tank die gevuld is met zout water. Ze dragen duikpakken die eruitzien als ruimtepakken. Volgens de stem op tv is het een verplicht onderdeel van de astronautenopleiding: in de tank kunnen de astronauten wennen aan het werken terwijl ze gewichtloos zijn. Het water is zo zout dat ze niets wegen, zelfs niet met dat zware pak aan. Een deel van de tijd moeten ze zelfs in de tank terwijl het er aardedonker is en er geen geluiden zijn. Want ook in het heelal is het stil, en als je je in de schaduw bevindt is het pikdonker.

Het beeld schakelt over naar de nachtcamera. Vaag zie je een rode astronaut die in de duistere tank paniekerig om zich heen slaat en met zijn benen trapt. 'Als een astronaut niets hoort of ziet, en hij niet meer weet wat boven of onder is, kan hij in paniek raken,' legt een stem uit. 'In deze tank kan dan meteen hulp worden geboden, maar ver weg in de ruimte zou het kunnen leiden tot levensgevaarlijke situaties.'

Er verschijnt een astronaut in beeld. Hij staat naast de tank. 'Het is daarbinnen in het donker alsof je bijna niet meer bestaat,' vertelt hij. 'Je armen en benen verdwijnen. Je weet echt niet meer waar ze zijn. Er is geen onder of boven als het donker is, geen warm of koud. Je bent alleen met je gedachten. Je bént alleen nog maar je gedachten. Vliegende gedachten in het niets… Heel vreemd… Buitenaards.'

Dan volgen beelden van de aarde vanuit de ruimte: een prachtige blauw met witte bol. Een astronaut maakt een ruimtewandeling. Vrij zweeft hij door het zwart, alleen een soort dikke witte navelstreng verbindt hem met het ruimtestation. Erachter verschijnt een schittering feller dan elk licht op aarde: de zon, die hier in de ruimte straalt als een schelle, vijandige ster.

'Ik word astronaut als ik later groot ben,' zucht Marius.

'Jíj?' grijnst Pieter. 'Ze zien je aankomen, Muissie!'

'Hou toch je kop,' bijt Marius terug. 'Jij bent zelfs te stom om buschauffeur te worden.'

'O ja?' Pieter balt een vuist en doet alsof hij Marius wil slaan. Hij doet het niet, want mama zit erbij. 'Wedden dat jij veel te slap bent voor die duiktest?'

'Jíj dan! Jij zou meteen gek worden onder water in het donker. Ik niet. Ik duik beter dan jij.'

Mama kijkt op van haar tijdschrift. 'Jongens, ophouden! Nog één woord en die televisie gaat uit.'

Pieter springt op. 'Nou en? Het is toch al klaar.' Hij zet de tv uit en wenkt Marius dat hij mee moet komen.

Marius loopt achter Pieter aan naar boven. Op de overloop blijft Pieter staan. 'Wij gaan dat ook doen!' Hij wijst naar de badkamer. 'We vullen het bad, kopen zout en lossen het op. Surfpak aan, licht uit, en zweven!'

Marius kijkt Pieter met grote ogen aan. 'Denk je dat dat kan?'

'Tuurlijk.' Pieter kijkt op zijn horloge. 'Ik ga zout kopen, het kan nog net. Kost toch bijna niets. Ondertussen vul jij het bad.'

'Maar –'

'Zeg gewoon tegen mama dat je in bad wilt. Mag vast wel.' Hij draait zich om en dendert de trap weer af.

Tien minuten later is Pieter terug, met tien zakken zout. Ze scheuren de zakken open en gieten de inhoud in het bad, dat Marius gevuld heeft met goed heet water.

'Zou het genoeg zijn?' vraagt Marius terwijl ze roeren met hun handen.

Pieter knikt. 'Wij hebben geen zwaar ruimtepak aan of zo. En sowieso blijf je al bijna drijven in water.' Hij verdwijnt naar zijn kamer en komt even later terug met zijn surfpak aan. Hij heeft zelfs de capuchon opgezet en de handschoenen aangedaan die hij anders nooit draagt.

'Waarom mag jij eerst?' vraagt Marius.

'Omdat het mijn idee was.'

Marius gaat aan de kant en Pieter stapt in het bad. 'Aaaah... Héét!'

Langzaam laat hij zich in het water zakken. Marius heeft het overloopgat dicht gestopt, zodat het bad veel voller kon dan anders. Nu Pieter erin ligt, klotst het water bijna over de rand.

'Yes!' sist Pieter. 'Het werkt. Ik voel me echt lichter dan anders!' Hij laat zich in het water zakken tot alleen zijn ogen, neus en mond nog boven het water uit steken. 'Doe het licht uit en laat me alleen. Met de deur dicht. Kom over vijf minuten terug.'

'Ben je echt gewichtloos?'

Pieter knikt zachtjes.

Marius doet het licht uit, loopt de overloop op en trekt de badkamerdeur achter zich dicht.

Vijf minuten later gaat Marius de badkamer weer in. Hij doet het licht aan. Pieter zit op de rand van het bad. De handschoenen liggen op de plavuizen, de capuchon houdt hij in zijn hand. Zijn hoofd is vuurrood. Uit het surfpak loopt water, rond zijn voeten heeft zich al een plas gevormd.

'En?'

Pieter kijkt op. 'O, man, ik ben kotsmisselijk...'

'Was het zo erg?'

'Ik dacht dat ik gek werd. Helemaal gestoord.'

'Het leek zo leuk.'

Pieter schudt zijn hoofd, stroopt dan zijn surfpak af. 'Ik durf te wedden dat jij het nog geen minuut volhoudt.'

'Waar wedden we om?'

Pieter wrijft in zijn ogen. Dan vult hij een beker water bij de kraan en drinkt hem in één teug leeg. 'Als het jou lukt om een half-uur in dat bad te blijven, krijg je tien euro van me.'

'En als ik er langer in blijf?'

'Dat lukt je toch niet.'

'Maar als het me nou wel lukt?'

Pieter knijpt zijn ogen tot spleetjes en kijkt Marius gemeen aan. 'Als het jou lukt om tot… middernacht in dat bad te blijven,' – hij lacht spottend – 'dan ga ik samen met Evert naar Vogelpoep en zeg ik dat hij je met rust moet laten… dat hij anders met Evert en mij te maken krijgt… Erewoord!'

Marius knikt. Hij heeft al honderd keer gevraagd of Pieter dat wil doen. Hij durft nog steeds de stad niet in. Maar Pieter zei steeds dat hij zijn eigen problemen maar moest oplossen.

Marius zweert bij zichzelf dat hij het zal volhouden tot middernacht. Het is al negen uur. Drie uur zweven dus, dat moet te doen zijn. Pieter weet niet half hoe bang hij is voor Vogelpoep. Dit is zijn kans.

'Ga jij beneden welterusten zeggen,' zegt Pieter, 'dan vul ik het bad bij.'

Mama komt 's avonds nooit in de badkamer. Ze poetst haar tanden altijd aan de wastafel in haar slaapkamer. En papa is weg. Dus het zou moeten kunnen.

20 IN HET HEELAL

Het surfpak is veel te groot voor Marius. Het is vochtig en voelt lauw vanbinnen. In vouwen en plooien hangt het om zijn lichaam. Hij lijkt meer op een mislukt buitenaards wezen dan op een astronaut.

'Oké. Ik kom af en toe kijken om te controleren of je er wel in ligt. En als je denkt dat je echt gek wordt, moet je maar gillen of zo.' Pieter kijkt er zowaar bezorgd bij, alsof hij zich ineens afvraagt of ze niet iets veel te gevaarlijks aan het doen zijn. 'Zorg trouwens dat je geen water in je ogen krijgt… Dat zout prikt als de ziekte.'

Marius stapt in het bad en zakt langzaam door zijn knieën. Het warme water stroomt het pak in. Hij gaat achterover liggen. Gewoon een heerlijk warm bad, zegt hij tegen zichzelf. Niets om bang voor te zijn.

'Klaar?' vraagt Pieter.

Marius knikt.

Pieter doet het licht uit en trekt de badkamerdeur achter zich dicht.

Nu is Marius alleen. In het aardedonker, in het warme water. Hij sluit zijn ogen. Langzaam krijgt hij het gevoel dat hij zweeft.

Nee, het is geen gevoel. Hij weegt niets. Hij zweeft echt.

Hij vliegt!

Zachtjes beweegt Marius zijn armen en benen. Hij voelt de voering van het surfpak tegen zijn huid. Hij voelt de golving van het water. Er is niets om bang voor te zijn, denkt hij. Het volgende moment is het net of hij zijn voeten niet meer voelt. Hij krult zijn tenen. Of niet? Hij voelt niets. Dan verdwijnen ook zijn armen en benen. Hij weegt niets meer. Het voelt alsof hij door de diepste diepten van het heelal vliegt. De badkamer is verdwenen. Het huis is verdwenen. De hele wereld is verdwenen. Marius is alleen nog een wolkje gedachten in de leegte van het heelal. En de tijd? Hoelang ligt hij hier al? De tijd lijkt ook niet meer te bestaan. Er is alleen hier en nu. Of juist alleen de eeuwigheid.

Dan duiken er geluiden op. Geluiden die er misschien al die tijd al waren. Een ritmisch gebons en een zacht gesnuif: zijn hartslag en ademhaling. Maar wie zegt dat dat zijn hart en adem zijn? Eindeloos vliegt hij zo rond, warm en geborgen door het niets. Is hij nog wel op aarde? De aarde hoort toch ook bij het heelal? Dus dan vliegt hij nu toch echt door het heelal? Het maakt niet uit waar hij is. Het is heerlijk…

Verder en verder weg drijven Marius' gedachten, tot hij helemaal niet meer lijkt te bestaan. Zou het zo zijn om dood te zijn? Bén ik misschien dood? Misschien ben ik wel gezonken, adem ik water in, in plaats van lucht. Een golf van angst spoelt door hem heen en happend naar adem schiet hij overeind. Hij slaat om zich heen, er klotst een golf over de rand van het bad.

Op hetzelfde moment gaat het licht aan. Marius slaat zijn handen voor zijn gezicht. Zijn hart bonst in zijn keel.

'Wat is dít nou weer voor idiotie?' klinkt papa's stem. 'Het is godverdomme midden in de nacht, ik kom net thuis na een godvergeten eind vliegen, en jij ligt hier als een... Tjézus, wat een teringbende... De hele vloer is kledder! Wat een gekkenhuis, wat een...' Hij zucht en balt zijn vuisten. 'Ik wíl dit niet,' zegt hij afgemeten. 'Ik ben doodmoe en ik wil dat alles normaal is. En ik wil douchen. Je krijgt twee minuten.' Met een ruk draait papa zich om en loopt de trap weer af.

Marius staat op. Het badwater is lauw, bijna koud. Hij merkt nu pas hoe koud hij het heeft. Zijn kaken beginnen onbeheersbaar te klapperen. Hij trekt de stop uit het bad en draait de kraan van de douche open. Terwijl het hete water op hem neer klettert stroopt hij het surfpak van zich af. Opnieuw komt papa binnen. Hij vloekt, verdwijnt en smijt de deur weer dicht. Marius draait haastig de kraan dicht en vlucht met een handdoek naar zijn kamer. Daar droogt hij zich af, nog steeds huiverend en ineens kotsmisselijk. De rode cijfertjes van de wekkerradio zeggen dat het kwart over één is. Hij heeft bijna vier uur in bad gelegen. Vier uur! Het leek veel korter. Hij dreef, hij vloog en verdween en toen... Marius schudt zijn hoofd. Zijn lijf trilt onbeheersbaar van de kou en van de angst die ineens, achteraf, in hem opkomt. Hij had wel kunnen verdrinken. Ineens weet hij zeker dat hij er niets van gemerkt zou hebben als hij was verdronken. Dan zou hij er nu gewoon niet meer zijn geweest. Dan zou papa een lijk in het bad hebben gevonden.

Hij hoort zijn vader de badkamer in gaan. Als hij onder de douche staat, glipt Marius zijn kamer uit en rent naar beneden. Hij komt net op tijd bij de wc. Rillend geeft hij over tot hij helemaal leeg is. En die rotzak van een Pieter is helemaal niet komen kijken. Die is vast gewoon gaan slapen. En nu laat hij zich ook niet zien, terwijl hij vast wel wakker is geworden van papa's geschreeuw. Die rotzak zal zijn belofte ook wel niet houden. Koud, boos en bang sluipt Marius weer naar boven en kruipt in bed.

21 ZIEK

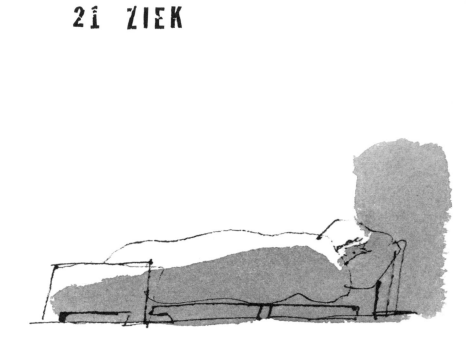

De volgende dag is Marius ziek, hij heeft koorts en een blaffende hoest. Papa is nog steeds kwaad. Pieter ontkent dat hij er ook maar iets mee te maken heeft.

'Die stomme Muis heeft mijn surfpak gejat en dan durft hij ook nog te zeggen dat het mijn idee was.'

Pieter kan goed liegen. Hij houdt vol wat hij zegt, net zo lang tot ze hem geloven. Hij is natuurlijk jaloers op Marius, en schaamt zich omdat hij bang was in het astronautenbad. Daarom liegt hij.

Mama kijkt toe vanaf de grote tafel. Ze zegt niets en bemoeit zich er niet mee. Ze weet dat papa anders ook kwaad op haar wordt.

Pieter kijkt peinzend naar Marius, die met opgetrokken knieën in zijn pyjama op de bank zit. 'Hij is écht gestoord, denk ik...' zegt hij. 'Wie doet nou zoiets raars?'

'Rótzak!' sist Marius. 'Vieze, vuile rótzak!'

In twee stappen is zijn vader bij hem. 'Niet zoveel praatjes! Wie hangt er hier de imbeciel uit, midden in de nacht? Nou?'

Marius kruipt nog verder in elkaar en begint te huilen. 'Het kwam door dat tv-programma. Die astronauten in die tank... We wilden ook gewichtloos zijn.'

'Niks "we"!' roept Pieter.

'Wegwezen jij,' snauwt papa hem toe, en Pieter verdwijnt.

Papa keert zich weer naar Marius en schudt zijn hoofd. 'Ik weet niet wat het met jou is de laatste maanden,' zegt hij. 'Je speelt bijna niet meer met je vriendjes, je zit maar thuis te simmen in je eentje, en er is altijd wel wat...' Hij kijkt Marius doordringend aan. 'Weet je, nu is dat misschien nog niet zo erg. Maar over een paar jaar –'

'Bas!' sist mama en ze schudt haar hoofd. Papa mag van haar niet zeggen wat hij wilde zeggen.

Papa zucht. 'Goed. Oké. Ik zeg al niets meer... Zand erover.' En hij wuift ten teken dat iedereen maar het beste kan vertrekken.

Marius kruipt terug in bed. Een paar minuten later hoort hij de voordeur met een klap dichtslaan. Even later gaat zijn kamerdeur open. Mama komt binnen en gaat op de rand van zijn bed zitten. Ze aait over zijn haar. Een hele tijd zegt Marius niets.

'Pieter liegt,' perst hij er dan uit.

'Het is allemaal niet zo belangrijk, Meessie van me,' zegt mama. 'Je vader is nu eenmaal snel driftig. Hij staat onder grote druk op zijn werk. En...' Ze zucht. 'Nou ja, hij is het straks vast allemaal weer vergeten. Zo erg was het nou ook weer niet!' Ze buigt zich over Marius heen en geeft hem een zoen. 'Afgesproken?'

Marius knikt, maar hij weet zeker dat hij het zelf niet zal vergeten. In dat bad zweven was het vreemdste wat hij ooit heeft meegemaakt. Het was geweldig, maar achteraf ook doodeng. Hij vloog, buiten ruimte en tijd... maar hij kan niet goed aan iemand uitleggen hoe het precies voelde.

Die avond laat wordt Marius wakker. Hij hoort zijn ouders beneden ruziemaken. Stil sluipt hij de trap af.

'Jij vindt altijd alles maar best!' hoort hij zijn vader zeggen.

'Maar jij geeft die jongen geen ruimte... En je bent er nooit, hoe –'

'O, beginnen we daarover... Is het weer zo laat?'

'Oké, oké, ik maak me ook af en toe zorgen over hem. Misschien heb je gelijk. Dat hij niet meer de straat op durft is vreemd, dat klopt niet. En nu dit... Hij zegt helemaal niets. Misschien is een gesprek met een psycholoog nog niet zo –'

'Ik heb hier even helemaal geen zin meer in,' onderbreekt Marius' vader haar. 'Ik ben doodmoe. Ik ga slapen. Al dat gesodemieter!'

Marius snelt de trap op en duikt zijn bed in. Ze denken dat ik gek ben, bonkt het in zijn gedachten. Als verstijfd ligt hij onder het dikke donzen dekbed. Een klein streepje licht schijnt door de kier van zijn kamerdeur.

Ze denken dat ik gek ben.

Ze denken dat ik gek ben.

In gedachten ziet Marius zichzelf de poort van de kliniek door gaan.

Ze denken dat ik gek ben.

Hij ziet zichzelf al op zo'n plastic stoel zitten, op het tegelterras, omringd door al die griezels... uitgelachen door de kinderen die over het duinpad lopen.

Ze denken echt dat ik gek ben.

Misschien bén ik wel gek.

Beneden wordt de wc doorgespoeld en even later klinken zware voetstappen op de trap. Dan gaat het licht op de overloop uit en is alles donker.

22 EEN VUILE SNEEUWBAL

'Jullie blijven wel samen, hè? En bij Rens' vader. Anders gaat het feest niet door!'

'Ja, mam.'

'Samen uit, samen thuis… En het licht op je fiets, is dat in orde?'

'Jaha.'

'Vooruit dan maar. Elf uur thuis, en geen minuut later.'

'Ik moet nu echt gaan, hoor, anders ben ik te laat bij Rens.'

Marius' moeder knikt. 'Goed… Fijne avond en groeten aan opa. Nou maar hopen dat het nog een beetje helder wordt. Als er iets is, dan bel je. Ja?' Ze trekt zijn kraag omhoog en frummelt aan zijn sjaal.

'Daag!' Marius loopt naar de achterdeur. Zijn fiets staat in de tuin.

'Dag lieverd. Leuk dat je Rinus en Rens weer eens hebt meegevraagd! Voorzichtig in die sneeuw!'

Het laagje sneeuw is dun, er valt prima overheen te fietsen. Nog geen tien minuten later is Marius bij Rens. Die staat al op de stoep te wachten, samen met zijn vader. Rinus is er ook al.

In het witte licht van de straatlantaarns fietsen ze door de snijdende kou naar de rand van de stad, en dan verder, in de richting van de duinen. Rens met zijn vader voorop, Marius en Rinus erachteraan.

Als ze het fietspad onderlangs de duinen op gaan, duiken ze de stille kou van het duinbos in. Het donker slokt het kleine groepje fietsers op. Dit is wel even wat anders dan 's avonds naar de bioscoop fietsen. Dit is echte, diepe duisternis.

Maar het is niet ver naar de sterrenwacht. Na het parkeerterrein is het misschien nog tien minuten. Net voorbij de kliniek en de tennisbanen, aan het begin van de duinweg. De sporen van hun fietsbanden zijn niet de eerste in de sneeuw. Er zijn vast meer mensen op weg gegaan naar de sterrenwacht.

Als ze aankomen, blijkt het er inderdaad druk. Anders zijn alleen de leden van de jongerenwerkgroep er. En dan is er vaak maar één vrijwilliger van de sterrenwacht, die meestal op het grote scherm foto's laat zien van planeten, sterrenstelsels of maankraters, en hen dan mee naar buiten neemt om door de telescoop te kijken. Maar vanavond lijkt het wel of de halve stad er is. Veel mannen met baarden en oudere echtparen.

Dat komt door de komeet. Al dagen wordt erover geschreven in de krant, en ze was ook op tv: een felwitte punt met een prachtige lichtgevende staart, gefilmd vanuit de ruimte. 'Een mysterieuze bezoeker uit de koude diepten van het heelal' noemde de nieuwslezer het ding.

Vanavond komt een professor van de universiteit een lezing geven, en hij heeft een dure telescoop meegebracht. Volgens de mail die werd rondgestuurd vergroot die meer dan zeshonderd keer.

Opa staat in de gang van het gebouw op hen te wachten.

'Opa!'

'Hé! Dag, Marius!'

Marius kust opa op zijn stoppels. Opa drukt hem stevig tegen zich aan, knipoogt naar Rens en Rinus en schudt Rens' vader de hand.

'Komen jullie?' zegt Marius. 'Ze gaan zo beginnen!' Hij loopt voor de anderen uit, hij kent hier de weg.

Het stoffige zaaltje puilt uit. Ze moeten staan, helemaal achterin. Gelukkig hangt het scherm hoog.

De lezing duurt eindeloos en is vreselijk saai. De professor praat maar door over de Oortwolk, elliptische omloopbanen en waar schijnlijkheden. Marius en zijn vriendjes snappen er niks van. En de beelden die de wetenschapper projecteert, zijn vooral onbegrijpelijke grafieken en lijstjes met getallen. Op een gegeven moment voelt Marius een por in zijn zij. Hij kijkt opzij. Rinus laat grijnzend zien hoe hij achter zijn rug een lang stuk behang heeft losgetrokken.

'Als je hier trekt, komt het los tot aan het plafond, volgens mij.'
Rinus knikt naar boven en doet net alsof hij wil trekken.

'Niet doen, idioot!' fluistert Marius en hij trekt Rinus bij de muur weg.

Verstoorde blikken uit het publiek.

Als de lezing eindelijk klaar is, lopen ze opgelucht het zaaltje uit.

'Juist,' zegt opa, en hij knikt heel geleerd. 'Een komeet is dus niets meer dan een vuile sneeuwbal. Een sneeuwbal zo groot als Schiermonnikoog. Hóógst interessant.'

Ze moeten allemaal lachen. Dat van die sneeuwbal was ook het enige dat Marius had onthouden. Die man zei het echt. Het gaf hem het gevoel dat die hele komeet niks voorstelde, terwijl die op tv zo bijzonder leek. Waarom zou je naar een vuile sneeuwbal willen kijken?

Ze lopen naar buiten en kijken omhoog.

Geen sterren.

Niet één.

Alleen donkergrijze wolken.

Achter de sterrenwacht staat de professionele onderzoekssterrenkijker opgesteld. Die is ook al veel kleiner dan Marius zich had voorgesteld. Hij had gedacht dat er zo'n grote buis zou staan, metershoog, zoals hij wel eens op foto's heeft gezien. Maar dit is gewoon een ding op een driepoot. Een soort vuilnisemmer op pootjes.

Omdat er aan de hemel niets te zien is, leggen de professor en iemand van de sterrenwacht dan maar uit hoe de telescoop werkt.

Het wordt al snel minder druk, en op een gegeven moment zegt ook de vader van Rens dat het tijd wordt om te vertrekken.

'We kunnen beter vast gaan, want we zullen er wel even over doen. Volgens mij is het spekglad aan het worden.'

Rens en Rinus knikken. Die hebben het ook helemaal gehad.

Marius baalt ervan dat hij hen heeft meegevraagd. Hij had hen verteld dat het een geweldige avond zou worden, maar het is helemaal niks. Ze hebben het alleen maar steenkoud gekregen.

Samen lopen ze naar de fietsen.

Als opa gedag wil zeggen, ziet Marius dat hij een lekke band heeft.

'Het zit je niet mee vanavond,' zegt opa met een glimlach. 'Eerst een droogstoppel, dan die wolken en nou dit.'

Rens' vader fronst. 'Je kunt niet bij mij achterop, want ik heb nog een kinderzitje, voor Chantal. Maar bij een van de jongens achterop, met die gladheid... Je fiets kan in ieder geval niet mee.'

Opa kijkt naar Marius en knipoogt. 'Je mag wel met mij mee. Maar het is een flinke wandeling door de duinen, en je moet dan wel blijven slapen, denk ik. Dus –'

'Leuk!' roept Marius.

Rens' vader vindt het allang best. Hij lijkt vooral opgelucht dat het probleem uit de wereld is.

'Bovendien kan ik dan een beetje op Marius steunen,' zegt opa. 'Met die gladheid... Ik ben niet meer zo goed ter been, begrijpt u?'

De vader van Rens belt naar Marius' huis om te overleggen. Marius' moeder vindt het goed. Wel wil ze opa nog even spreken. Die verzekert haar dat Marius niet te laat naar bed zal gaan.

Als de anderen op hun fietsen verdwenen zijn, lopen Marius en opa het smalle duinpad op. 'Veel mooier dan de duinweg,' zegt opa. Moeizaam begint hij aan de lange klim omhoog, waarbij hij zwaar op Marius steunt. Een laagje sneeuw glinstert op de schots en scheve treden van de trap. Hun adem wolkt in het laatste licht dat vanuit de sterrenwacht op hen schijnt. Het is nog veel kouder dan aan het begin van de avond, en door het lange stilstaan zijn ze helemaal verkleumd.

23 HET RAADSEL VAN HET HEELAL

Opa en Marius zijn het eerste duin over en dalen af in een besloten duinpan. De lichten van de sterrenwacht verdwijnen. Het is koud, donker en stil. IJskristalletjes dwarrelen vanuit het niets naar beneden. Marius houdt opa's hand stevig vast. De struiken zien er griezelig uit in het donker, geheimzinnige verschijningen die oprijzen uit het duister. Het laagje sneeuw dat alles bedekt lijkt zachtjes licht te geven.

'Mooi, hè?' fluistert opa. Zijn stem klinkt vreemd in de stilte.

Marius kijkt naar hem op. Opa's ogen glanzen en zijn lippen zijn dun. Alles is kleurloos. Hij voelt opa's bottige hand door zijn want en door opa's handschoen heen. Het is bijna eng allemaal, maar tegelijk is het spannend en geweldig.

Opa kijkt omhoog. De wolken lijken dunner te worden. Af en toe wordt er iets zichtbaar van het zwart van de nacht. 'Misschien hebben we toch nog geluk,' zegt hij en hij kijkt in de richting van de zee, waar de komeet zou moeten staan als ze nog niet onder is. Maar daar is het nog steeds bewolkt.

Stil lopen ze door het dal. Alleen hun voetstappen en het geluid van hun ademhaling doorbreken de stilte. Als ze even blijven staan en hun adem inhouden, is het helemaal stil.

Volmaakt stil.

Een stilte die Marius nog nooit heeft meegemaakt. Het is of ook de tijd stilstaat. Of alles altijd zo zal blijven. Opa en hij, het donker, de nacht en de kou. Meer is er niet.

Dan breekt er een glimlach door op opa's gezicht. 'Kom,' fluistert hij. 'Anders vriezen we hier vast.'

Ze beklimmen het volgende duin. Door het lopen worden ze iets warmer. Als ze boven zijn zien ze de zee, zwart en weids. Alsof er iets heel groots ligt te slapen, de golven als een zachte ademhaling. Her en der wat lichtjes – schepen, booreilanden en windmolens.

'Kijk,' fluistert opa. Zijn adem verlaat wolkend zijn mond. Hij wijst.

Boven zee breken de wolken nu ook uiteen. Een paar sterren worden zichtbaar. Marius voelt de kou van de nacht dwars door zijn muts heen, alsof dat eindeloze zwart boven zijn hoofd aan hem

trekt. Hij trekt zijn capuchon over zijn muts en stopt zijn handen diep weg in zijn jaszakken. Opa's gezicht lijkt wel van steen. Ze staan dicht tegen elkaar aan.

Ze kijken toe hoe de wolken uiteendrijven en oplossen. En dan, eindelijk, zien ze de komeet. Als een fontein rijst ze uit boven de horizon, vlak boven de zee. Als ver vuurwerk, afgestoken in een stad op zee, maar Marius weet dat de komeet nog veel verder weg is.

'Als je dat een vuile sneeuwbal noemt,' zegt opa, 'dan weet je echt niet waar je het over hebt.'

'Maar dat is het toch? Dat hebben ze toch onderzocht?'

Opa schudt langzaam zijn hoofd. 'Kan wel zijn, maar… Kijk, het is zoveel meer. Het… Ik weet niet goed hoe ik het je moet uitleggen. Maar alles… alles is een raadsel. We weten niet wat we zijn, of wat de wereld is. Laat staan dat we iets van die diepe duisternis daar kunnen begrijpen.' Opa knijpt in Marius' schouder en trekt hem nog wat dichter tegen zich aan. 'Het raadsel van de wereld is zoveel groter dan de metingen van die wetenschappers. Iedereen maakt zich zo druk op dit planeetje. Over wie hij is of wat hij moet worden, en of hij het wel beter doet dan zijn buurman, en of hij wel genoeg geld verdient en wat hij moet eten en wat voor kleren hij morgen aan moet, en…' Opa's stem sterft weg. 'Het betekent allemaal zo weinig als we omhoogkijken en die diepte zien. Al die lichtjaren… Als we maar ver genoeg kijken zien we het verre verleden. En niemand weet waar het vandaan komt, of hoe het begonnen is… Wat ze ook allemaal mogen beweren.'

'Opa?' Marius begraaft zijn gezicht in opa's jas. 'Ik heb het koud.'

'Lieve Marius,' zegt opa dan, en zijn stem klinkt ineens beverig, verlegen. 'Als je eens wist hoe graag ik nog met jou… en hoeveel…' Hij schraapt zijn keel en haalt diep, snuivend adem.

Marius kijkt naar hem op. Er staan tranen in opa's ogen.

'Pff…' Opa richt zich op. 'Kom, dan lopen we verder. Nog tien minuutjes en we zijn er. Vos zal zich wel afvragen waar ik blijf. Hij vindt het vast leuk dat jij er ook bent.'

24 LOGEREN BIJ OPA

Vanaf de top van het laatste duin, als ze bijna bij opa's huis zijn,
zien ze in de verte ook de kliniek. Een tl-licht aan de gevel knippert
en snijdt spookachtige schaduwen uit in het donker. Marius hui-
vert. Hij moet denken aan het gesprek van zijn ouders dat hij af-
luisterde. Maar hij wil er niet aan denken, hij wil niet naar een
psycholoog. Snuivend haalt hij adem en hij schudt zijn hoofd om
de gedachten kwijt te raken.

Opa knijpt in zijn hand. 'En?' vraagt hij. 'Is je neus er al af gevroren?'

'Nee hoor,' antwoordt Marius. 'Ik heb het niet koud. Maar er
hangt wel een vette ijspegel aan jouw neus.'

Opa grinnikt. 'Kom,' zegt hij, 'laatste stukje.'

Voorzichtig dalen ze de lange trap af. Weer leunt opa zwaar op
Marius. Sommige treden zijn spekglad. Opa haalt moeizaam adem
en halverwege de trap moet hij even uitrusten.

Als ze binnenkomen en hun jas aan de kapstok hangen, komt Vos
kwispelend aansjokken.

'Hé, ouwe jongen,' mompelt opa en hij aait Vos over zijn kop.

'Moet ik meteen naar bed?' vraagt Marius. 'Of kunnen we nog
een spelletje doen?'

'Tja... het is al wel laat. Maar ik denk dat we nog wel even
mogen opwarmen. Als je belooft dat je het niet tegen je moeder
zegt.'

'Natuurlijk niet!' Marius loopt de kamer in.

'Chocolademelk?' klinkt het vanuit de gang.

'Lekker!'

Tot na middernacht spelen ze poker. Lekker gokken, daar houdt opa wel van. Snelle potjes, om echt geld. Dat kan, omdat Marius meestal wint.

'Het gaat gewoon van je erfenis af!' roept opa als ze eindelijk stoppen. Marius staat op zeven euro winst. 'Ik hou het allemaal precies bij.' Hij komt overeind, maar als hij bijna staat, valt hij terug in zijn stoel. Met gesloten ogen zoekt hij de tafelrand, die hij vervolgens krampachtig vastpakt. Zijn handen beven.

'Opa! Wat is er?'

Opa zegt niets. Zijn ogen gaan open, maar hij lijkt niets te zien. Dan haalt hij diep adem. 'Het is niets,' fluistert hij dan. 'Even een beetje duizelig. Zo weer over.'

'Zal ik wat water halen?'

'Graag.'

Als Marius terugkomt, zit opa erbij alsof er niets aan de hand is. Hij stopt de fiches terug in het doosje en lacht naar Marius.

'Alsjeblieft,' zegt Marius en hij geeft het glas aan opa.

Opa drinkt het water in één teug op. Dan staat hij op en loopt met het pokerdoosje naar de kast. 'Weet je,' begint hij terwijl hij in de kast rommelt, 'ik moest de afgelopen tijd steeds aan die jongen van jou denken, die Vogelpoep. En dan weer aan Kraai Dakkenschijter. Pas vorige week herinnerde ik me iets. Iets waar ik me te veel voor schaamde om eraan te denken, al die lange jaren.'

'Wat dan?'

Opa komt weer bij Marius aan tafel zitten. 'Kraai werd later vader van een dochtertje. Een vrolijk meisje, leuk om te zien. Vanuit het raam van het kantoor waar ik toen werkte zag ik ze vaak samen voorbijlopen, van en naar school. Hand in hand. Ik denk

dat Kraai toen al niet meer werkte. Vast iets met zijn rug, door dat manke been. Enfin, op een keer – het moet in de zomer geweest zijn, want het raam stond open – hoorde ik kinderen naar ze roepen. Dat kleine meisje in haar witte jurkje aan de hand van die grote, scheefgegroeide vader...' Opa schudt zijn hoofd.

'Wat riepen ze dan?'

'"Kraai!" riepen ze. "Daar heb je Kraai Dakkenschijter met z'n..."' Opa slikt, en zacht gaat hij verder: '"Kraai met zijn Stink-ei." Ze noemden dat mooie lieve kleine meisje het Stink-ei. Alleen omdat haar vader... Omdat ík twintig jaar eerder –'

'Maar dat is toch niet jouw schuld?'

'Niet helemaal. Het waren die kinderen, die dat riepen. Kinderen zijn nu eenmaal wreed, ze weten soms niet wat ze doen.'

'Maar jij was toch ook een kind, toen je dat van die Dakkenschijter verzon?'

Opa haalt zijn schouders op. 'Soms zie je ineens dat de wereld anders had kunnen zijn. Je gaat ergens naar links, of je gaat een keer naar rechts en je wordt een heel ander mens. Een kind scheldt je uit en dertig jaar later klinkt de echo nog steeds. Pff, ik weet het ook niet. Ben ik daarvoor nou vijfenzeventig geworden? Om nog steeds niets van het leven te snappen?' Opa slaat met zijn platte handen op tafel en staat op. 'Genoeg geneuzeld. Wil je zelf die slaapzak uit de kast pakken op de logeerkamer? En ik geloof dat er om het kussen geen sloop zit. Vind je dat erg?'

'Nee hoor,' zegt Marius. 'Is goed. Welterusten.'

'Welterusten. Ik blijf nog even beneden, een slaapmutsje drinken. Om de spoken te verjagen.'

Marius loopt naar boven, naar de logeerkamer tegenover opa's kamer. Het is een knus kamertje met een zacht doorzakbed waarin hij altijd heerlijk slaapt. Maar dit keer is het er ijskoud als hij binnenkomt. Opa heeft het dakraampje op een kier laten staan. Onder het raam is een donkere streep op de vloerbedekking te zien. Daar is het nat. Marius wil opa roepen om hem te helpen, maar dan bedenkt hij dat het hem zelf ook wel zal lukken om het raam te sluiten, als hij op de stoel klimt.

Als het raam dicht is, pakt hij de slaapzak uit de kast en gooit hem op het bed. Hij trekt alleen zijn schoenen en zijn broek uit en dan kruipt hij erin.

Marius droomt die nacht dat hij opa volgt, de zolder op. Langzaam loopt opa langs de kartonnen dozen die daar staan. Hij lijkt veel langer dan anders en hij loopt kaarsrecht. Bij een doos met Marius' naam erop, bukt opa. Hij vouwt de doos open en haalt er een briefje van vijf en wat kleingeld uit. Hij stopt het geld in de doos ernaast. Op die doos staat in grote zwarte letters 'Vogelpoep' geschreven. Als opa zich omdraait, ziet Marius vanuit het trapgat een glimp van zijn gezicht. Opa is weer jong. Hij ziet eruit als op de foto bij Marius thuis, waar opa lachend naast oma staat, die toen ook nog jong was. Opa met een peuter op zijn arm. Dat is Bas, die later Marius' vader zou worden.

Daar stopt de droom en Marius wordt wakker. Hij moet naar de wc. Hij gaat de gang op en bij opa's slaapkamerdeur blijft hij even staan. Stil kijkt hij naar binnen. Niets te zien, het is aardedonker in opa's kamer. Dan hoort hij zacht gesnurk, niet meer dan een ronkende ademhaling, het lijkt een beetje op het spinnen van een poes. Marius loopt verder naar de badkamer.

De volgende ochtend is opa ziek. Zijn neus is rood en zijn ogen zijn klein. Sniffend in een zakdoek rommelt hij wat in de keuken. Hij probeert nog dapper een lekker ontbijtje voor Marius te maken, maar het lukt hem niet echt.

'Ik pak wel een boterham uit de vriezer, opa. Ga maar lekker terug naar bed.'

'O, ja… ja. Dat is misschien wel beter. Bel je moeder zo maar dat ze je komt ophalen. Dan kunnen jullie meteen je fiets oppikken bij de sterrenwacht, en…' Wat hij verder wil zeggen, wordt gesmoord in een hoestbui. 'Pff…' verzucht hij als de rust is weergekeerd. 'Ik had ook niet naar die sterrenwacht moeten gaan. Die ellendige kou.' Hij schudt zijn hoofd en kijkt Marius glimlachend aan. 'Allemaal jouw schuld. Of, nee. Die komeet! Het is de schuld van die vuile sneeuwbal! Bah!' Hij schuifelt weg uit de keuken en gaat terug naar boven.

Marius geeft Vos te eten, ontdooit voor zichzelf een boterham op een bordje op de kachel en smeert er pindakaas op. Maar hij heeft helemaal geen zin om te eten. Het grootste deel van de boterham gooit hij in de vuilnisbak. Dan loopt hij naar boven. Opa ligt weer te ronken in bed. Zijn mond hangt open en hij heeft zelfs vergeten zijn bril af te zetten. Die hangt nu scheef op zijn neus. Is het echt zijn schuld dat opa ziek is?

Marius belt niet naar huis. Hij loopt terug naar de sterrenwacht over hetzelfde pad als ze die nacht gekomen zijn. Het is er ijzig, er waait een koude wind van zee. Vanaf de sterrenwacht loopt hij het hele eind naar huis, met zijn fiets aan zijn hand.

25 EEN SLEUTEL

Marius ligt op bed en bladert in een boek. Iets over dino's en fossielen, hij heeft het met Sinterklaas gekregen. Een mooi boek, maar hij heeft helemaal geen zin om te lezen. Hij heeft nergens zin in. Na school is hij naar huis gelopen en direct door naar zijn kamer. Buiten is het al bijna weer donker, en het vriest nog steeds.

Opa is al dagen ziek. Steeds houdt Marius zichzelf voor dat het niet zijn schuld is, dat opa een grapje maakte. Maar dat stomme grapje blijft ondertussen wel zeuren in zijn achterhoofd.

De voordeur gaat open en met een klap weer dicht. Stemmen in de gang, gestommel op de trap. Dat is Pieter, en zo te horen is Evert bij hem. Ze klinken opgewonden. Zonder te kloppen stormen ze Marius' kamer binnen.

Kwaad vliegt Marius overeind, maar hij krijgt de kans niet om iets te zeggen.

'Hier!' roept Pieter met een grijns, en hij houdt een oude sleutel omhoog. 'Hier heb je je Vogelpoep!'

Evert staat er stom hinnikend bij te lachen.

'Wat? Hoe bedoel je?'

'We hebben hem opgesloten!' grijnst Evert.

'Dat wou je toch?' gaat Pieter verder. 'We moesten je toch helpen? Zodat je niet meer bang voor hem zou hoeven zijn?'

'Maar waar dan? Hoe dan?'

'In het opzichtershuis. Evert had de sleutel van een van de kasten daar. We zagen Vogelpoep naar binnen gaan en zijn hem achternagegaan. Met z'n tweeën konden we die dikke wel aan.'

Pieter gooit de sleutel op Marius' bed.

'Ja, maar nou wordt hij toch alleen maar nog veel kwaaier? Nou slaat hij me helemaal –'

'Sst, Muissie... Effe stil.' Pieter legt een vinger op zijn lippen. 'We hebben een plan. Een megaplan. We zijn niet zo dom als jij denkt.'

'Maar hoelang zit hij dan al in die kast?'

Evert kijkt op zijn horloge. 'Een halfuurtje of zo. Niet zo lang, we zijn meteen hiernaartoe gekomen.'

'Kijk. Luister.' Pieter wijst naar de sleutel. 'Jij gaat met de sleutel naar het opzichtershuis. Eerste verdieping, kast in de achterkamer. En dan zeg je dat je die sleutel van mij hebt gestolen. Dat je ons hoorde praten en dat je zag waar ik die sleutel verstopte en dat je hem hebt gepakt toen we weg waren. En dan zeg je dat jij hem komt bevrijden. Maar dat je dat alleen doet als hij belooft dat hij je nooit meer lastigvalt. Snappie?'

Marius zit op de rand van zijn bed, met de sleutel in zijn hand. Hij kijkt uit het raam. Buiten is het pikdonker. 'Dus ik moet nú naar het opzichtershuis om...'

Pieter knikt en slaat zijn armen over elkaar. 'Goed plan, of niet?'

Marius schudt zijn hoofd. 'Hij slaat me verrot... Er is daar nie-

mand en…' Hij kijkt Evert en Pieter aan. 'Als jullie nou mee-
gaan…'

'Wij mogen ons er niet mee bemoeien. Anders heeft hij het
meteen door.'

Moedeloos blijft Marius op de rand van zijn bed zitten. Dit
durft hij echt niet. Nooit. Het is zoiets als naar de krokodillenkooi
in de dierentuin gaan, het deurtje openzetten en blijven staan om
te kijken wat er gebeurt.

'Ga nou maar.' Pieter draait zich om en wil de kamer uit lopen.
'Dan ben je voor zessen weer thuis.'

'Ik loop wel mee,' zegt Evert dan. 'Ik moet toch die kant uit.
En dan blijf ik wel even buiten wachten.'

'Maar je zou nog blijven!' protesteert Pieter. 'We zijn toch niet
voor niets helemaal hiernaartoe gekomen?'

Evert schudt zijn hoofd. 'Het is ook een beetje mijn schuld dat
hij zo bang is voor Vogelpoep. Ik heb hem toen die keer meegenomen naar het opzichtershuis… Kom je, Maas?'

'Wacht even.' Marius rommelt in zijn kast en haalt er een zak-
lampje uit. Een onnozel klein ding, maar het is beter dan niets.

26 VOGELPOEP UIT DE KAST

Evert en Marius staan voor het hek van het opzichtershuis. Er klappert van alles in de wind en een straatlantaarn werpt griezelige schaduwen de tuin in. Marius heeft wel eens een film op tv gezien over kinderen die 's nachts een huis in gingen waar het spookte. Het was een enge film, veel te eng. Hij kon toen alleen verder kijken door de hele tijd te denken dat het maar een film was, dat het niet echt was, en dat het dom van die kinderen was dat ze dat huis in gingen. Hij zou nooit zo dom zijn, dat wist hij zeker.

Nooit van zijn leven.

En nu staat hij hier.

'Oké, ik wacht hier wel even,' zegt Evert en hij trekt zijn sjaal wat hoger op. 'Maar schiet alsjeblieft op, want ik bevries. Als het misgaat, dan roep je maar. Dat hoor ik wel. En als ik jullie naar buiten hoor komen, zorg ik dat ik weg ben.'

Marius knikt onzeker en steekt even zijn hand op. 'Nou, eh… bedankt,' zegt hij dan zacht, en doodsbang stapt hij door het roestige hek de tuin in.

Gekkenwerk, sist het door zijn hoofd. Dit is gekkenwerk. Zijn keel zit dichtgeknepen, hij bibbert van kou en angst. Het gaat hem vast niet eens lukken om iets te zeggen tegen Vogelpoep.

Nee!

Niet Vogelpoep, maar Willem!

Gekkenwerk.

Vogelpoep.

Willem, Willem, Willem!

De deur naar het souterrain staat open. Marius klikt zijn zaklamp aan. Een miezerig straaltje licht piept het duister van de kelder in.

Het is gewoon half zes 's avonds en Evert staat op wacht en eigenlijk kan er dus niets gebeuren... Zo malen Marius' gedachten, terwijl hij voetje voor voetje door het souterrain schuifelt en voorzichtig de trap op loopt. De zaklamp geeft net genoeg licht om te zien waar hij loopt.

Als hij in de gang staat hoort hij gebonk van boven komen. Dat moet Vogelpoep zijn. Nee, Willem! Willem die op de wanden van zijn gevangenis slaat. Was het nou wel zo'n goed plan van Pieter, vraagt Marius zich bang af. Eigenlijk is dit nog veel enger dan gewoon goed uitkijken in de stad. En die Vogelp... Willem was toch ook nog eens gek? Hij zat toch niet voor niets in de kliniek? Grote kans dat hij eerst belooft dat hij niets zal doen, en als hij dan vrij is...

Maar hij kan hem toch ook niet de hele nacht daar in die kast laten zitten?

Marius loopt de trap op en gaat de achterkamer binnen. Zijn tanden klapperen, hij kan het niet stoppen. Er schijnt flets licht naar binnen van een straatlantaarn. Marius klikt zijn zaklamp uit. In de hoek van de kamer is een kastdeur, dat moet hem zijn. Het is stil. Het gebonk is gestopt. Marius schraapt zijn keel. 'Willem?' zegt hij met een klein piepstemmetje.

Er komt geen antwoord.

'Willem?'

Er klinkt gebonk en geschuifel in de kast. Dan wordt er keihard op de kastdeur geslagen. 'Laat me eruit!'

Marius loopt in de richting van de kast. Vogelpoep blijft op de kastdeur slaan. De deur trilt, er valt een stuk kalk van de muur.

Halverwege de kamer blijft Marius staan. 'Willem?' zegt hij weer. Zijn stem klinkt raar.

'Klootzakken! Laat me eruit!'

'Willem… luister!'

'Nee! Ik ben niet gek! Laat me er nú uit!'

'Ik ben het… Maas. Marius. De broer van Pieter. Van toen… op zolder hier, toen jij met je been vastzat. Weet je, ik… ik heb de sleutel van mijn broer gestolen. Stiekem… Ik hoorde ze praten. Ik kom je bevrijden. Echt… Maar dan moet je beloven dat je me niks doet. Nooit meer.'

Het wordt stil in de kast. En het blijft stil. Een hele tijd.

'Willem?'

'Ik geloof er geen donder van,' klinkt het dof door de deur heen. 'Je liegt. Ik ben niet gek. Jij hebt dit allemaal verzonnen, omdat je mij moet hebben.'

'Nee… echt niet… I-ik heb de sleutel van Pieter, en –'

'Ik beloof je niets.'

'Dan… dan laat ik je er niet uit.' Marius' stem klinkt minder dapper dan hij zou willen.

'Best. Dan vries ik hier vannacht dood. En dan staat morgen de politie bij jullie op de stoep. Want reken maar dat ze erachter komen. Het barst hier van de vingerafdrukken, en ik schrijf alles op aan de binnenkant van de kastdeur. Alles. En dan ga jij mooi naar de jeugdgevangenis.'

'Maar –'

'Niks te maren,' klinkt het uit de kast. 'Weet je… Zal ik jou eens wat vertellen? Maas of Marius Dingemanse of hoe je ook mag heten?'

Marius stapt achteruit. Hoe weet Vogelpoep zijn naam?

'Ik weet meer van jou dan je denkt, jongetje. En van je familie… Zegt de naam Dakkenschijter je iets? Kraai Dakkenschijter?'

Marius zegt niets. Zijn hart bonkt nu nog luider en hij beeft over zijn hele lichaam.

'Zo werd mijn opa genoemd. Opa Willem. Ja, Willem. Net als ik.'

Marius loopt naar de kast. Hij doet zijn zaklamp aan en steekt de sleutel in het slot. Om de een of andere reden kan hij ineens niet anders – misschien om eindelijk goed te maken wat opa deed, lang geleden. Hij draait de sleutel om. De kastdeur zwaait open en Vogelpoep valt naar buiten. Hij heeft zijn rode dekbedjas weer aan, een muts op en wanten aan. Marius schijnt hem in zijn gezicht.

'Flikker op met dat licht, man!' Vogelpoep knijpt zijn ogen samen en slaat zijn handen voor zijn gezicht.

Marius springt achteruit, rent naar het gat van de deur. Vogelpoep krabbelt overeind. 'Wacht! Niet zo bang, man. Ik doe jou niets! Je bent een kleuter. Maar je kent het verhaal dus.'

Marius knikt.

'Jouw opa,' zegt Vogelpoep, 'heeft het leven van mijn opa verpest. En dat van mijn moeder!' Hij wijst met zijn dikke zwarte want naar Marius.

Marius bijt op zijn lip. Hij begrijpt ineens dat die dikke vrouw in de rolstoel Vogelpoeps moeder moet zijn! Het Stink-ei! Volgens opa zo'n mooi, lief meisje.

'Wat sta je daar nou stom te grijnzen?'

Snel schudt Marius zijn hoofd. 'Nee, nee... ik lach niet.'

'Weet je, toen die broer van jou me begon uit te schelden toen ik bij hem op school kwam, ging het weer mis. Hij noemde me Vogelpoep, terwijl ik al jaren niet meer zo genoemd was... We waren verhuisd naar een andere buurt. Iedereen was het vergeten. Dat dachten we tenminste, dat hoopten we. Maar binnen een dag noemde iedereen op die rotschool me weer zo.'

'Maar... Pieter zei dat je altijd al zo genoemd werd. Dat je dat zelf wilde.'

Vogelpoep schudt zijn hoofd. 'Belachelijk... De schoft.' En ineens, in twee sprongen, veel te snel voor dat dikke lijf, is hij bij de deur. Hij grijpt Marius in zijn kraag en werkt hem tegen de grond. 'Ik weet niet waarom jullie het doen en ik weet niet wat het is, maar het moet stoppen! Wat heeft mijn familie jouw familie gedaan? Waarom schelden jullie ons uit?' Hij schudt Marius aan zijn jas op en neer. 'Waarom?'

Marius is vergeten dat hij moest roepen, en Evert is vast allang vertrokken. 'Ik weet het niet,' piept hij. 'Pieter pest mij ook altijd... en mijn opa schaamt zich nog steeds. Echt... Dat zei hij toen hij het aan mij vertelde.'

Even is Vogelpoep stil. 'Weet je wat?' zegt hij dan en hij lacht schamper, een lach die overgaat in een gemene grijns. 'Dan moet die opa van jou dat maar eens komen zeggen, dat hij zich schaamt. Tegen mijn moeder. En tegen mijn opa! Als hij dat niet doet... nou, dan wordt het oorlog. Zeg dat maar tegen je lieve opaatje. De volgende keer druk ik je tot moes! En nou opgedonderd!' Hij laat Marius los.

Marius krabbelt achteruit en kijkt Willem met grote ogen aan. 'Je opa... Leeft jouw opa ook nog?'

Willem knikt. 'Hij woont al jaren bij die lieve opa van jou om de hoek... Veilig opgeborgen.'

De man met de grijphanden, in de tuin van de kliniek! Dat moet hem geweest zijn. Dáárom wil opa nooit langs de kliniek lopen! 'Maar –'

'Opdonderen, ja! Wat zei ik nou? De volgende keer pers ik je helemaal uit!' Willem gooit een stuk hout naar Marius. Die draait zich om en rent weg.

27 NAAR HET EILAND

Opa hoest nog steeds. De griep is dan wel over, maar hij ziet er nog steeds breekbaar uit. Als hij klaar is met hoesten, loopt hij voorzichtig over het bevroren gras omlaag naar de oever. Aan de rand van de rietkraag kijkt hij om. 'Kom je?'

'Papa zei dat het ijs nog niet veilig is.'

'Wanneer? Gisteren?'

Marius knikt.

'Het heeft vannacht meer dan tien graden gevroren. Als het nu nog niet goed is…'

In de verte komt een groep schaatsers aan glijden. Vier mannen. Voorovergebogen, handen op de rug, ernstige gezichten. Soepel zoeven ze voorbij. Dan slaan ze rechts af de lange vaart op en verdwijnen uit het zicht.

'Zie je?' Opa lacht naar Marius en steekt zijn hand naar hem uit. 'Niets aan de hand.' Opa's smalle wangen blozen van de kou. Zijn ogen tranen.

Marius schuifelt naar beneden en pakt opa's hand. Opa stapt het ijs op. Kruimelig ijs waar rietstompjes boven uitsteken. Het kraakt een beetje.

'Kom maar,' zegt opa.

Marius stapt ook het ijs op en samen schuifelen ze voetje voor voetje verder uit de kant. Voorbij de rietkraag is het ijs donker, bijna zwart. Er zitten luchtbelletjes in vastgevroren, en hier en daar een blad van een waterplant. Ze passeren de sporen van de schaatsers. Scherpe sneden in het ijs, met slijpsel ernaast.

'Vroeger maakte ik ook graag lange tochten,' mijmert opa. 'In mijn eentje over de vaarten, tussen de bevroren akkers door…' Hij knikt naar het kleine eilandje dat precies midden in het ronde meertje ligt, als een pupil in een oog. 'Zullen we daar naartoe gaan?'

'Maar dat is toch alleen voor de vogels?'

'Die zitten allemaal lekker warm in Afrika nu. Kom, dan gaan we kijken.'

Ze lopen verder het ijs op. Hand in hand, voetje voor voetje. Het ijs is spekglad. Hier is nog niemand geweest. Marius stelt zich voor hoe onder hen het koude water is, en daar weer onder de donkere modder waarin vissen en kikkers hun winterslaap houden, bijna bevroren, koud en levenloos.

'Hoe is het eigenlijk met die jongen afgelopen?' vraagt opa.

'Welke jongen?'

'Die van dat leegstaande huis, en dat been.'

'Vogelpoep?'

'Ja, die.'

Marius vertelt wat er een paar dagen eerder in het opzichtershuis is gebeurd. Hoofdschuddend hoort opa het verhaal aan, en hij kijkt beschaamd als Marius tegen hem zegt dat hij best wist wie de man in de tuin van Vreugdendal was.

'Ja... je hebt misschien gelijk. Ergens wist ik het allemaal wel. Maar ik wilde er niet meer aan denken.'

'Wil je alsjeblieft doen wat Vogelpoep vroeg?'

'Hè? Hoe bedoel je?'

'Je excuses aanbieden? Sorry zeggen?'

Opa kijkt Marius ongelovig aan, een beetje lacherig. 'Dat meen je toch niet serieus?'

'Alsjeblieft? Voor mij?'

Opa kijkt naar het eiland in de verte en schudt dan zijn hoofd. 'Nee... dat kan ik niet. Dat kan toch niet, jongen... Het is allemaal zo lang geleden.'

'Het is helemaal niet lang geleden. Vogelpoep zit nú achter mij aan!'

'Nee, ik bedoel... Zie je het voor je? Dat ik naar Vreugdendal zou gaan, bij die Willem aan zou kloppen, en dan zeggen dat het me zo spijt?' Opa lacht schamper. 'Dat kan toch niet, Marius. En het heeft geen zin. Ik kan de tijd niet terugdraaien.'

Op dat moment springt er met een klap een barst in het ijs. Recht tussen opa en Marius door.

Marius klampt zich aan opa vast. 'Ik wil terug, opa. Nu!'

'Ah, jongen, het is niets. Echt niet... Het ijs werkt gewoon een beetje, dat is alles. Het is zo sterk als wat.' Om het te laten zien stampt hij er een paar keer op.

128

Marius begint te huilen. 'Niet doen! Ik wil terug!'

Opa knikt. 'Oké... Is goed. Kom maar.' Voorzichtig draaien ze om en zo snel als Marius durft lopen ze terug naar de oever. Over Vogelpoep hebben ze het niet meer.

Die nacht droomt Marius weer van de kliniek. Hij zit er opgesloten, in een grote vogelkooi. Buiten de kooi staat zijn vader met een dokter te praten.

'Het is voor zijn eigen veiligheid,' zegt de dokter.

Marius' vader knikt. Hij ziet er bezorgd uit, maar ook een beetje boos.

'We moeten hem tenslotte beschermen tegen die ander,' gaat de dokter verder, en hij knikt naar een tweede kooi, aan de andere kant van de kamer.

In die kooi zit Vogelpoep. Hij draagt zijn rode slaapzakjas en zit op zijn hurken.

'Tsjiep! Tjiep!' roept Vogelpoep en hij hipt als een vogel door zijn kooi heen en weer.

De dokter schudt zijn hoofd. 'Zo gek als een deur,' zegt hij, 'en heel erg besmettelijk.'

Marius rukt aan de tralies van zijn kooi. 'Ik ben niet gek!' schreeuwt hij. 'Laat me eruit!'

Maar zijn vader en de dokter horen hem niet. Ze slenteren weg, keuvelend over ditjes en datjes.

28 VOS

'Dag, mam!'

'Dahaag! Schiet jij ook maar op, anders kom je nog te laat!' Mama grist haar autosleutel van het haakje en gaat de deur uit. Ze slaat hem met een klap achter zich dicht.

Nu is hij alleen thuis. Marius loopt naar de keuken en door de achterdeur de tuin in. Hij haalt zijn fiets van het slot en loopt naar de poort, die op de brandgang uitkomt. Erachter klinkt een vreemd geluid. Gekrab, gehijg en zacht gejank.

Marius zet zijn fiets op de standaard en opent de poort op een kiertje.

'Vos! Wat doe jij hier?'

Vos jankt zachtjes en duwt zijn oude lijf tegen Marius aan. Dauw parelt op zijn vacht. Hij kwispelt, draait zich om en loopt de brandgang in. Daar blijft hij staan en kijkt om, alsof hij wil dat Marius met hem meekomt.

'Maar Vos... Ik moet naar school. Wat is er dan?'

Vos kwispelt weer. Hij kijkt voor zich, loopt een paar stappen verder en kijkt dan weer om.

Marius pakt zijn fiets en volgt hem de brandgang in.

Hij moet mee. Er is iets met opa, dat kan niet anders. Hij voelt het. School kan wachten.

'Ik kom, Vos! Ik kom!' fluistert hij tegen de hond en hij trekt de poort achter zich dicht.

Vos is echt oud. Hij kan niet hard meer lopen. Langzaam fietst Marius naast hem, terwijl hij zich afvraagt of hij niet hard vooruit zou moeten fietsen, recht naar opa's huis. Maar wat als Vos hem ergens anders naartoe wil brengen? Als opa ergens in het bos ligt, of in de duinen? Met een gebroken been of zo.

'Toe maar, Vos! Toe maar. Breng me maar naar opa!'
Vos jankt nog eens zachtjes en sjokt verder.
Hij neemt de kortste weg. Het pad op langs de kliniek. Met buikpijn die steeds erger wordt fietst Marius achter hem aan, en als het zand te mul wordt, stapt hij af. Hij loopt verder, zijn fiets aan zijn hand.
Zonder op of om te kijken loopt hij achter Vos aan langs de

tuin van de kliniek. In de tuin is het stil. Achter de ramen brandt licht, en uit de schoorsteentjes op het platte dak stijgt rook op.

Bij opa's huis gooit Marius zijn fiets neer en hij snelt de tuin in. De voordeur is gesloten. Hij bonst erop, maar Vos loopt door naar achteren en kijkt weer afwachtend om. Marius volgt hem.

De achterdeur staat open. In de keuken is het ijskoud.

'Opa?' Marius' buikpijn breidt zich uit door zijn hele lichaam. Zijn armen en benen voelen koud en zwaar. Ze willen eigenlijk niet meer bewegen, maar Marius dwingt ze. Hij loopt de gang door. Vos gaat hem voor de trap op, naar boven. Voor opa's slaap-kamerdeur blijft hij staan. De deur staat op een kier.

Langzaam duwt Marius de deur een stukje verder open. Het is donker in de kamer, de gordijnen zijn dicht. 'Opa? Ben je daar?' Marius stapt naar binnen.

Opa ligt in bed. Hij geeft geen antwoord. En hij beweegt niet. Marius loopt naar het raam, trekt het gordijn opzij. Grijs licht stroomt de kamer in. Dan loopt hij naar het bed. Eigenlijk weet hij al wat er aan de hand is, maar hij moet het zeker weten. Hij moet het zien. Opa ligt op zijn rug. Zijn mond staat een beetje open, zijn ogen zijn gesloten.

'Opa?'

Zachtjes streelt hij met een vinger over opa's ongeschoren wang. Die voelt anders dan anders. Stug en koud. Marius stapt achteruit. Dus zo ziet een dode eruit, denkt hij. Nu heb ik voor het eerst van mijn leven een dood mens gezien.

Vos drukt zijn kop tegen Marius' been en jankt.

Marius aait hem over zijn kop. 'Jij wist precies wat er aan de hand was, hè, Vossie?' Marius gaat op zijn knieën zitten. Hij slaat zijn armen om de hals van de hond en begraaft zijn gezicht in de warme vacht. 'Arme Vos,' mompelt hij. 'Nu heb je geen baasje meer. Nu ben je helemaal alleen.'

LENTE

29 NAAR OPA'S HUIS

'Nou ja,' zucht papa, 'als je er echt niet onderuit kunt, dan moeten jullie maar gaan.' Hij schudt zijn hoofd.

Marius kijkt hem aan. Waarom wordt hij niet boos? De laatste weken lijkt papa anders. Hij is vaker thuis sinds opa's dood, maar tegelijk lijkt hij ver weg.

'Het is de belangrijkste wedstrijd van het seizoen, pap... Zonder mij zijn ze nergens.' Pieter kijkt papa strak aan.

Papa schudt zijn hoofd, alsof hij het allemaal ook niet meer weet. Dan kijkt hij naar Marius. 'Ga jij dan wel met mij mee naar opa's huis? Alsjeblieft?'

Marius haalt heel diep adem. Hij wil eigenlijk niet, hij is bang. Nog steeds, ook al is opa al zes weken dood. Uiteindelijk knikt hij. 'Is goed,' mompelt hij.

Mama en Pieter trekken hun jas aan.

'Zie ik je nog voor je vertrekt?' vraagt mama.

Papa schudt zijn hoofd. 'Ik moet om één uur op het vliegveld zijn. M'n spullen gooi ik vast in de auto. Waarschijnlijk rij ik vanaf opa's huis meteen door. Hoogstens zet ik Muis nog even hier af.'

Mama omhelst papa. 'Sorry dat het zo loopt, lieverd. Misschien –'

'Het is al goed. De crematie was goed, dit is minder belangrijk. Dus als Pieter moet voetballen... Ik ga tenslotte ook gewoon naar mijn werk.'

Ze nemen afscheid.

'Muis, trek jij je jas ook maar vast aan. Dan gaan we meteen mee de deur uit.'

Met zijn vieren vertrekken ze. Mama en Pieter in mama's auto en papa en Marius in papa's auto.

Papa parkeert op opa's plekje. Opa's auto is al verkocht. Het is voor het eerst sinds de dag dat hij opa vond dat Marius weer bij opa's huis is. Hij wilde niet en hij kon het niet. Alle anderen zijn er allang weer geweest, maar hij niet. De andere dozen op zolder zijn weggehaald, alleen de doos met Marius' naam erop staat er nog. Papa mocht hem ook niet mee naar huis nemen. Marius was bang dat hij nooit meer zou stoppen met huilen als hij in die doos zou kijken.

Ze gaan door de voordeur naar binnen. Het is stil en koud in het huis. Tranen springen Marius in de ogen als hij de plek voor de kachel ziet waar Vos altijd lag.

Vos is ook dood. Toen opa dood was, wilde Vos niet meer eten en hij gromde vals naar iedereen die in zijn buurt kwam. Uiteindelijk heeft papa hem meegenomen naar de dierenarts en die heeft hem laten inslapen.

Nee, doodgemaakt.

Marius kijkt om naar papa. Die staat met opa's mobiele telefoon in zijn handen. Hij kijkt stil naar het ding. Wat komen ze hier eigenlijk doen?

'Had jij het niet zelf willen doen, papa?'

Zijn vader kijkt op. 'Wat? Wat doen?'

'Opa's as uitstrooien boven zee.'

Papa schudt langzaam nee.

'Zou dat niet kunnen vanuit jouw vliegtuig? Dan had je het zelf mee kunnen nemen en –'

'Ik zit in een drukcabine, op tien kilometer hoogte. Ik moet vliegen. Ik heb geen tijd om zomaar… Het kan gewoon niet.' Papa gaat zitten. Hij ziet bleek.

Marius heeft een brok in zijn keel. Hij dacht dat hij genoeg gehuild had om opa, maar dat is misschien toch niet zo. En ineens flapt hij er iets uit dat al weken zeurt in zijn gedachten. Iets waar hij steeds buikpijn van heeft. 'Komt het omdat ik hem had meegenomen naar de sterrenwacht? Daarna kreeg hij griep en moest hij hoesten en toen –'

Papa kijkt geschrokken op. 'Wat?'

Met een klein stemmetje gaat Marius verder. 'Na die griep was opa ineens zo dun… En hij zei dat hij die griep door mij had gekregen… toen met de komeet. Hij deed wel alsof het een grapje was, maar…' Dan houdt hij het niet meer en begint te huilen.

Papa loopt naar Marius en pakt hem stevig vast. 'Jongen toch… Opa was allang ziek. We hebben het er niet met jou over gehad omdat we je niet ongerust wilden maken. Hij had er ook nog best drie jaar langer mee kunnen leven. Maar als –'

Marius duwt zijn vader weg. Ineens is hij woedend. 'Waarom zeggen jullie nooit iets tegen mij?' schreeuwt hij. 'Jij bent altijd weg, of met Pieter… Pieter dit en Pieter dat en ik hoor er niet bij. Pieter kan zo goed voetballen en Pieter is zo sterk en kan zo goed leren en… ik ben alleen maar Muis. Je noemt me niet eens bij mijn echte naam.'

'Maar… wat is dat nou ineens allemaal?' Papa kijkt Marius met grote ogen aan.

'Niks!' Marius rent de kamer uit, de voordeur uit, het tuintje uit en steekt de duinweg over. Hij hoort hoe papa achter hem aan komt.

'Muis! Wacht nou even… Wacht!'

Maar Marius luistert niet. Hij rent het duin op en aan de andere kant naar beneden, vijf treden tegelijk, meer springend en vallend dan lopend. En op het strand rent hij rechtdoor naar de grijze zee in de verte. Hij wil nooit meer stoppen met rennen, maar voor altijd doorgaan. Verder en verder, over de golven, door de deken van mist heen, voorbij de zee...

Bij de waterlijn blijft hij staan. De zee is modderig, groengrijs en koud. Er ligt een dode krab in het water. Een paar poten zijn eraf gerukt. Een golf spoelt om Marius' voeten. Marius trapt de krab plat. Hij voelt het schild kraken onder zijn schoen. Het ijzige water dringt door zijn schoenen en zijn voeten zakken weg in het natte zand. Op zee klinken misthoorns, maar er is geen schip te zien. Er is niets te zien. Tranen lopen over Marius' wangen en hij trilt onbeheersbaar. Van verdriet en van – hij weet niet waarvan.

Achter zich hoort hij hoe papa aan komt rennen. Marius duikt in elkaar. Hij wil niet, maar de zee in lopen kan ook niet. Papa pakt hem vast, tilt hem op en draagt hem het droge op.

'Hé, lieverd,' mompelt papa en hij gaat op zijn hurken voor Marius zitten. 'Ben je zo verdrietig om opa?'

Marius schudt zijn hoofd. Hij perst zijn lippen op elkaar. Hij wil niets zeggen, nooit meer. Hij wil verdwijnen. Voorgoed. Wegvliegen, zoals papa, maar dan nooit meer terugkomen. Of uitgestrooid worden boven zee, zoals opa. Dat is misschien nog beter. Dan kan hij voorgoed verdwijnen. Oplossen in het zoute water.

'Kun je zeggen wat er is? Dan kan ik er misschien iets aan doen.' Papa houdt Marius stevig bij beide schouders vast en kijkt hem onderzoekend aan.

Weer schudt Marius nee.

Papa zegt niets. Hij schraapt zijn keel en kijkt ongeduldig rond. Hij knijpt Marius nog harder in zijn schouders, alsof hij hem het zand in wil duwen. De ongeduldige blik verschijnt weer in zijn ogen, de blik waar Marius zo bang voor is.

Dan dwaalt papa's blik af naar de zee. Zijn ogen worden zachter.

Van zijn hurken zakt hij op zijn knieën en hij trekt Marius tegen zich aan.

Marius voelt hoe er schokjes door papa's lichaam trekken. Hij huilt. Marius begraaft zijn gezicht diep in papa's zwarte wollen jas. Die is stug en prikt een beetje, maar het voelt ook warm en goed.

'Ik mis opa ook, lieverd,' zegt papa nadat ze een tijd zo met z'n tweeën in het zand gezeten hebben. 'Misschien laat ik het niet altijd zien, maar ik mis hem heel erg. Het is niets om je voor te schamen.'

'Papa,' zegt Marius dan met een verstikt stemmetje. 'Als ik voortaan mijn best doe om normaal te zijn, hoef ik dan niet naar de kliniek?'

'Hè?' Papa gaat rechtop zitten en kijkt Marius met grote ogen aan.

'Als ik beloof dat ik heel erg mijn best doe... hoeft het dan niet?'

'Maar, maar... Naar de kliniek? Hoe kom je dáár nou bij?'

'Ik hoorde je praten met mama. Dat zij me te veel mijn gang liet gaan en dat ik niet normaal ben en dat ik naar een psycholoog moet... net als Vogelpoep.'

'Vogelpoep? Wat is dat nou allemaal voor onzin?' Papa schudt zijn hoofd.

'Je zei het zelf.'

'Maar we zijn hartstikke trots op je...'

'Waarom noem je me dan Muis? En je luistert nooit naar me en zegt altijd dat ik normaal moet doen, en naar buiten moet, net als Pieter.'

Papa zucht en pakt Marius stevig vast. Een hele tijd zegt hij niets, maar staart in de verte, over zee.

'Weet je,' zegt hij dan en hij draait zich om, kijkt naar een punt hoog op het duin. 'Weet je waarom ik ooit piloot wilde worden?'

Marius haalt zijn schouders op en kijkt weg.

'Kom.' Papa pakt Marius' hand en voert hem mee de trap weer op. Onwillig loopt Marius mee. Papa klimt over het prikkeldraad en tilt Marius eroverheen, en ze lopen verder, een smal paadje over, tot ze op een plek uitkomen hoog op het hoogste duin. Het is de plek waar Marius en opa afgelopen zomer de dode meeuw begraven hebben, maar daar zie je nu niets meer van.

Precies daar houdt papa stil. Hij slaat een arm om Marius' schouder en samen kijken ze uit over zee. 'Een keer, op een ochtend,' begint papa te vertellen, 'heel vroeg, maakte opa me wakker. Buiten was het nog donker, alle anderen sliepen nog, en hij nam me mee naar buiten. Gewoon in mijn pyjama, m'n jas eroverheen en rubberlaarzen aan mijn blote voeten. We woonden al in het duinhuis toen en liepen over de konijnenpaadjes omhoog, tussen het bedauwde helmgras door in de stille ochtendschemering. Ik was ongeveer net zo oud als jij nu.' Papa's stem klinkt zacht en dromerig, anders dan anders. Ook zijn ogen staan zacht. 'Samen wachtten we hier, precies op deze plek, tot de zon opkwam.'

Papa draait zich om en Marius draait mee, tot ze landinwaarts kijken. 'Het roze en geel… dat eerste licht boven de velden, de kerktorens daartussen, alles klein en raadselachtig…' Hij schudt zijn hoofd. 'En toen kwam de zon op, en alles was zo mooi. Er waren toen nog niet zoveel vliegtuigen als nu, maar wij zagen er een. Je kon het zien blinken en schitteren in het lage ochtendlicht. We zagen de witte condensstreep erachter ontstaan, vanuit het niets. Heel klein, heel hoog verdween hij uiteindelijk boven zee. Een magische pijl, op weg naar een andere wereld. "Die gaat naar Amerika," zuchtte opa toen. "Zorg dat je iets moois doet met je leven, jongen." Hij zei nog veel meer, maar dat weet ik allemaal niet meer. Het enige wat ik vanaf die dag wist, was dat ik piloot wilde worden.' Papa schraapt zijn keel en schopt in het zand. 'Het stomme is dat je dit soort dingen vergeet. Je gaat werken, geld verdienen, alles wordt gewoon en de jaren fladderen voorbij...' Hij haalt zijn schouders op en kijkt Marius aan. 'Nou ja, het dondert ook allemaal niet. Als je maar onthoudt dat je geweldig bent en dat ik zielsveel van je houd en je moeder ook. En vanaf nu noem ik je nooit meer Muis. Oké... Marius?'

Marius knikt. 'Oké.'

'Oké. Actie dan nu.' Papa kijkt op zijn horloge. 'Heel suf, maar ik moet naar mijn werk... Het is niet anders.'

30 HET BRIEFJE VAN OPA

De hele weg terug naar opa's huis zeggen ze niets. Marius voelt zich oneindig moe. Alsof hij zich in een hoekje zou kunnen opkrullen en dan zomaar vijf dagen slapen.

'Ik moet gaan,' zegt papa als ze bij opa's huis aankomen. 'Wil jij nog hier blijven?'

Marius knikt. Papa geeft hem de sleutel.

'Waar vlieg je naartoe, papa?'

Even zegt hij niets. Dan glimlacht hij scheef. 'Het is heel erg… maar ik weet het even niet. Ik weet alleen dat ik me volgens mijn rooster om half twee moet melden.' Hij kijkt naar opa's huis. 'En dat terwijl ik ooit wilde vliegen omdat dat het allermooiste was wat ik me kon voorstellen… Hoog boven de wereld zweven. Alles zien… En de machtige motoren, de vleugels, het blauw, de wolken…' Hij kijkt Marius aan. 'Weet je? Het is goed dat wij gepraat hebben, het is net of mijn ogen weer open zijn.' Hij kijkt op zijn horloge. 'Sluit je goed af als je vertrekt… Marius? Ook achter?'

Marius knikt.

'Tot morgen dan… Aan het begin van de avond ben ik thuis.'

'Goeie reis, papa!'

Papa loopt naar zijn auto, stapt in en rijdt weg. Marius kijkt hem na. Bij de bocht kijkt zijn vader nog een keer om en zwaait. Marius zwaait terug. Dan is papa verdwenen.

Marius gaat opa's huis in. Stil maakt hij een rondje door het huis. De meeste spullen staan er nog, het is net of opa ieder moment thuis kan komen. Marius stelt zich voor hoe opa door de achterdeur naar binnen komt stappen, Vos achter hem aan sloffend.

Marius knippert met zijn ogen. Opa is er niet, nooit meer. De kachel is uit. Het is koud in de kamer. En Vos is er ook niet, nooit meer. Besluiteloos kijkt hij rond. Wat moet hij nog hier? Ze gaan het huis verkopen. Volgende week komt er een bord in de tuin te staan en gaan ze het huis leeghalen. Als het verkocht is, zal hij hier nooit meer komen.

Ineens moet hij denken aan de doos op zolder, de doos met zijn naam erop. Hij loopt de trap op naar boven en de gang door, naar het zolderluik. In de hoek staat de stok met de haak, waarmee je

de zoldertrap naar beneden kunt trekken. Marius steekt de haak in het oog aan het luik en trekt. Soepel zwaait het luik open en de zoldertrap ontvouwt zich. Hij klimt omhoog en gaat de zolder op. Het is er schemerig en stoffig. De zolder is leeg, op één verhuisdoos na. Hij staat scheef en het deksel is open. Marius' naam staat erop. De doos is open omdat niet alles erin past: bovenop ligt een plastic tas. Marius kent die tas, hij weet wat erin zit. Met bevende vingers pakt hij de tas op en loopt ermee naar het raam. Daar maakt hij hem open: de gebroken latjes van de vlieger, de gescheurde stof, het vliegertouw, maar ook een schaar, tape, lijm en *Het grote vliegerboek*.

Marius pakt het boek uit de tas en slaat het open bij de boekenlegger die erin zit. De boekenlegger bestaat uit twee gevouwen velletjes papier. Een brief van opa, in zijn keurige, ouderwetse handschrift:

Lieve Marius,

Als je dit leest, ben ik dood. Daarmee vertel ik je natuurlijk niets nieuws. Jammer dat ik er niet meer ben, want ik was er dolgraag nog een paar keer met jou op uit getrokken. Maar blijkbaar was mijn tijd gekomen. Zo gaan die dingen. Je zult je verdere avonturen zonder mij moeten beleven. Dat gaat vast wel lukken.

Marius moet stoppen met lezen, omdat hij niet door zijn tranen heen kan kijken. Hij sluit zijn ogen even, en leunt met zijn voorhoofd tegen het koele glas van het raampje. Dan leest hij verder.

Misschien is er nog één dingetje dat ik voor je kan doen. Misschien heb je het zelf al opgelost. Het heeft te maken met

die Willem van jou, of die Willem van mij. De Willems met de rare bijnamen. Vreemd dat die geschiedenis met Kraai Dakkenschijter nog een keer voorbijkwam, na zoveel jaar. En het is nog veel gekker om na al die jaren mijn excuses aan te bieden.
Maar waarom ook niet?

Marius kijkt snel op het tweede blaadje, en als hij leest wat daarop staat moet hij lachen en huilen tegelijk. Opa biedt in het briefje zijn excuses aan voor de 'onappetijtelijke bijnaam' waarmee hij Willem heeft 'gesierd' en schrijft dat hij het 'vreselijk betreurt dat deze vervelende geschiedenis zo'n vreselijk lang staartje heeft gehad'.

Marius vouwt de brief weer op. Hij zal hem voortaan bij zich dragen, en als hij Vogelpoep ergens tegenkomt, zal hij hem de brief geven.

Met de tas met de kapotte vlieger erin loopt hij terug naar beneden. In de huiskamer gaat hij aan de grote tafel zitten. Zijn jas houdt hij aan. Hij spreidt de stof uit. Als hij zuinig knipt, kan hij er nog precies een klein vliegertje van maken. Een vlieger zoals kleine kinderen die tekenen: met een kruis van twee stokken, in de vorm van een ruit. Voorzichtig gaat hij aan het werk. Geen fouten maken nu, niet scheef knippen, want dan lukt het niet meer.

31 VLIEG!

Nog geen uur later is hij klaar. De vlieger is een klein beetje scheef, en Marius weet niet hoe hij de toomlijn precies moet bevestigen, terwijl die belangrijk is om de vlieger te laten opstijgen. Er moet een lange staart aan, bedenkt hij dan. Dat stond in *Het grote vliegerboek*: een staart zorgt voor stabiliteit. Van restjes stof maakt hij strikjes. Hij bindt ze aan een stuk touw en maakt de staart aan de vlieger vast.

Buiten is het nog steeds grijs. In de verte huilen de misthoorns. Marius neemt de vlieger mee naar het strand. Hij maakt hem vast aan het touw en rolt het touw af. Hij trekt het strak, geeft er een ruk aan en begint dan te rennen langs de waterlijn. Hij kijkt achterom en ziet hoe zijn vliegertje schokkerig hoogte wint.

Hij doet het!

Marius blijft rennen, en zolang hij rent danst het felgekleurde vliegertje hoog boven hem, op de grens van zee en strand, water en land. Verder en verder holt hij. Als hij ook maar even zijn pas inhoudt begint zijn vliegertje te dalen. Hij moet blijven rennen. Voorbij de tweede strandtent, mee met de kromming van de kustlijn en voorbij de Lange Bocht. Daar breekt de zon door de nevel heen. Marius rent nog verder, nooit eerder heeft hij zo ver gerend. En dan ineens voelt hij hoe aarzelend een windje van zee op komt zetten. Hij mindert vaart, zijn vliegertje daalt maar wordt opgepikt door de wind, die eerst nog wat vlagerig is, maar dan aantrekt. Omhoog schiet het vliegertje.

Hij wikkelt het draad af, verder en verder. Hoog in de lucht, in het zachte grijsblauw van de voorjaarszon, tekent zich een blinkende stip af: een vliegtuig dat hoogte wint en wegvliegt over zee. 'Papa!' roept Marius. Hij zwaait naar het vliegtuig. Dan rent hij weer verder en kijkt uit over zee. Vliegt daar niet ergens ook een klein vliegtuigje? Laag boven de golven? Dat kleine stipje in de verte? Vast wel. Dat is het vliegtuigje met opa's as aan boord. Iemand opent daar nu een luik en opa verstuift boven zee, op dezelfde bries die hier zijn vlieger hooghoudt.

'Opa!' roept Marius, en hij zwaait naar de zee en de lucht. En zijn vlieger danst en trekt aan het touw, en de golven slaan om en spelen rond Marius' voeten. Hij snuift de lentebries op en alles is goed.